LA LUCARNE

La collection Espace Nord
est dirigée par un comité composé de
Paul Aron, Jean-Pierre Bertrand, Daniel Blampain,
Jacques Carion, Frans De Haes, Jean-Marie Klinkenberg,
Michel Otten et Marc Quaghebeur
et est publiée avec l'aide
de la Communauté française de Belgique.

Première édition : Éditions Stock, Paris, 1992.

Illustration de couverture : Maurice Pirenne, *L'Ombre de l'espion*, 1965.
Photographie de Jacques Spitz.

Imprimé en Belgique
ISBN 2-8040-1789-3
D/2003/258/55

**Pour être tenu informé
des publications des Éditions Labor,
consultez leur site internet :
http://www.labor.be**

Jacqueline Harpman

La Lucarne

Nouvelles

Lecture de Elisheva Rosen
et Noemi Rubin

ÉDITIONS
LABOR

I

Comment est-on le père des enfants de sa mère ?

Je n'enterrerai pas mon frère. Que les vautours se régalent. Je vais tous les jours aux portes de la ville, je le regarde pourrir et je lui crache dessus. Le peuple de Thèbes est indécis, il a des idées simples : je me dois aux funérailles du frère, l'honneur de la famille exige mon sacrifice, le déroulement naturel des choses est que je transgresse les ordres de Créon, Polynice dort en paix, on m'exécute et c'est moi qui erre autour de ma carcasse non recouverte de terre : qui viendrait accomplir les rituels pour moi ? Les femmes ont peur, aucune ne braverait les sentinelles. Elles disent qu'elles ont un bébé à nourrir, des enfants en bas âge, un mari à soigner et que moi qui suis vierge je ne manquerai à personne. Antigone se doit aux ancêtres et ne doit rien à soi. On m'a enseigné que mon sang n'est qu'en transit dans mes veines, qu'entre mon père et mes fils je suis un instrument de transmission. De ma sœur et de moi, l'une est vouée à la descendance et l'autre au repos du frère, on m'a désignée pour la mort, Ismène aura des enfants. À sa place, je serais stérile, car je ne veux pas obéir. Je me moque de mes frères qui m'ont toujours dédaignée, ils me chassaient de leurs jeux en disant : tu n'est qu'une fille, et maintenant leurs âmes gémissantes se tournent vers moi, ils veulent des poignées de terre sur le corps pourrissant de Polynice, et je ricane. Créon me regarde d'un air soupçonneux, je me moque de lui. « Tu n'as rien à craindre de moi » lui ai-je dit, mais il ne me croit pas. Il est convaincu que je serai fidèle à ma race, que l'exigence de la lignée sera la plus forte et compte sur ma mort car me voyant révoltée il croit que je convoite ses biens. Comme il se trompe ! Je ne veux pas du trône, je ne veux pas du destin, je ne veux pas de sa mort puante. Je ne veux pas mourir vierge. Mais je ne veux pas non plus du ventre lourd, des chevilles gonflées, des cris de l'accouchement ni des seins affaissés. Les jeunes hommes me désirent, il en est que j'aurais pu épouser, leur naissance était bonne, leur fortune établie, ils m'auraient volontiers fécondée plusieurs fois. Ah ! les beaux bébés porteurs de grandes races, ah ! l'avenir glorieux, les guerres qu'ils auraient menées, les butins, les femmes enchaînées, les triomphes le pied posé sur l'ennemi mort et les armes brandies ! Je ne veux jouer leur jeu ni en mourant pour Polynice, ni en vivant. Mon père m'a déjà égarée une fois quand, les orbites saignantes, il a mis la main sur mon épaule en disant : « Toi, ma fille, tu me guideras dans ma nuit. » J'aurais dû m'arracher à lui, mais j'étais très jeune, le sang me faisait peur et les deux cris effroyables résonnaient dans mon âme. Il y avait longtemps que je détestais mon père et désormais son regard ne me ferait plus peur en me gluant dessus. J'avais horreur de ses mains qui traînaient toujours quelque part sur moi. Il ne levait jamais tout à fait les paupières, on ne connaissait pas la couleur de ses yeux, mais quand il était là l'impudeur devenait une eau sale où l'on se noie. Debout, raide, emballée dans des tissus épais qui cachaient bien les formes, je me sentais nue, étalée, les cuisses ouvertes. Mes frères n'étaient pas à l'abri, même il était plus audacieux avec eux qu'avec moi : c'est aussi que Jocaste craignait moins l'inceste avec les fils, il ne produit pas d'enfants. Ismène, qui est très bête, mit beaucoup de temps à comprendre ce qui la menaçait et n'évita pas d'être seule avec lui. Voyons ! me disait-elle, ton père ! jusqu'au jour où on la trouva hurlante, la robe arrachée, sous Œdipe tressautant qui dans sa hâte souillait le sol de la colle immonde qui avait fécondé Jocaste et engendré la fille qu'il voulait violer. Les servantes lui arrachèrent Ismène et l'emportèrent sanglotante au fond du palais. Après quoi, étrangement, elle eut plus peur de moi que de lui. Elle se méfiait de ma clairvoyance et quand je prédisais, elle croyait que je provoquais. Je vis bien qu'elle m'observait quand je parlais avec nos frères et avant de les approcher, elle tournait toujours le regard vers moi pour me consulter. Je me moquais de cette fille qui ne savait pas lire les gestes des hommes et, pour jeter le trouble dans son esprit, je me blotissais dans les bras d'Étéocle ou je baisais doucement les lèvres de Polynice. Aucun des deux ne s'y trompait mais ils détestaient que j'use d'eux pour abuser la petite sœur innocente et, pour se venger, feignaient de resserrer l'étreinte ou d'appuyer le baiser, où je m'enfuyais en poussant de grands cris, ce qui achevait de l'embrouiller. C'est ainsi que nous jouions. Ils aimaient que les filles fussent sottes, ils en triomphaient plus aisément et je les en méprisais. Quelle grande victoire que d'être plus malins que des filles élevées à l'écart de tout, à qui on n'apprenait qu'à chanter et à broder ! Qu'y a-t-il d'autre à savoir, pour une fille ? disaient-ils. Je ne les ai jamais aimés, mais je ne les craignais pas et nos disputes étaient limpides. Même, il leur arriva de me protéger contre notre père quand j'étais encore trop petite pour m'étonner de trouver ses mains entre mes jambes. L'un le bousculait, le distrayait, pendant que l'autre me chassait vers le gynécée. D'abord je n'y compris rien, plus tard j'obtins d'un maître d'armes qu'il m'apprît la lutte. Je le rejoignais la nuit dans un recoin obscur du jardin où je fus son élève la plus attentive. À dix ans, je pouvais me défendre, mais j'avais mal compris mon père et je m'étais donné une peine inutile : Œdipe était lâche et quand je le regardais dans les yeux il détournait le regard. C'est que Jocaste était là, qui surveillait son jeune mari.

Œdipe ne fut jamais l'amant que de Jocaste. Si les servantes qu'il lutinait rêvaient d'avoir séduit le roi, elles en furent pour leurs illusions. Les recoins discrets, les réduits et les alcôves dissimulés ne virent pas d'adultère. Cet époux était chaste, mais s'en cachait attentivement. Longtemps, on le jugea aussi mauvais qu'il le voulait. Ma nourrice, qui me raconta cela, était devenue la maîtresse des servantes, elle fut longtemps dupe et chassa des femmes qui juraient si fermement de leur innocence que la rumeur se répandit : le roi avait des mains partout, mais il ne donnait rien d'autre à craindre. Il ne fallait pas l'embarrasser en ayant l'air de céder car tout à coup il prenait l'air distrait et s'en allait en sifflotant. Le bruit courut alors qu'il était impuissant et cela lui déplut. En vérité, il voulait qu'on le trouvât infâme et le faux viol d'Ismène n'eut pas d'autre but, mais je ne compris cela que bien plus tard.

La stupidité du peuple de Thèbes est incroyable. Quoi de plus simple que la fameuse énigme à quoi Œdipe dut le trône ? Il s'est toujours gaussé de lui, et c'est bien le seul point où je sois d'accord avec mon père : c'est un peuple soumis et qui ne pense pas. Les Thébains sont sûrs qu'il y a, à propos de tout, une idée déjà faite, bien rangée à sa place, on va la chercher, on l'applique et on ne s'interroge pas. Il suffisait que le Sphinx leur dise qu'il s'agissait d'une énigme, c'est-à-dire que la place de la réponse n'était pas connue, pour que, affolés, ils s'égarent, se cognent, trébuchent et ne trouvent pas. Œdipe ne fit rien pour les éclairer, il songeait à leur fureur s'ils se rendaient compte que la réponse était facile et qu'ils avaient donné à un étranger le trône que n'importe lequel d'entre eux aurait pu conquérir à condition de mettre deux idées bout à bout. Il se montra très pieux et très docile aux dieux ; en vérité, il se sentait usurpateur. A-t-on gagné un combat quand l'adversaire ne sait pas se battre ? Il venait des voyageurs qui avaient vu Athènes,

Mycènes, lu des livres, on leur racontait l'admirable prouesse à quoi le roi devait son règne : je vis souvent un air d'incrédulité passer sur leur visage. L'un des nobles énonçait l'énigme puis laissait son récit en suspens, l'œil brillant, et l'hôte était sur le point de produire la réponse avant qu'on la lui donnât. C'étaient les seuls moments où mon père regardait quelqu'un droit dans les yeux, il fronçait les sourcils, devenait obscurément menaçant, le visiteur sentait qu'il fallait se taire. Sans doute se disait-il que cela ne le regardait pas et laissait-il sans regret aux Thébains le privilège de leur sottise. Mais si l'un d'eux, moins délicat, eût parlé ? Thèbes croyait s'être donné le maître le plus sage, le plus sagace et le plus intelligent du monde : un commerçant d'Athènes versé en chevaux ou en bijoux égyptiens aurait pu venir à bout du Sphinx et régner ? Quel escroc les avait dupés ? Œdipe avait compris le danger de négocier avec des imbéciles et savait que sous ses pas le sol était fragile. Le droit, chez nous, n'est pas une chose bien claire : Œdipe était-il roi par le choix du peuple, pour avoir sauvé la ville, ou parce qu'il était le mari de la reine ? Rien ne le rendait inébranlable, il avait peur. Ma mère aussi. Ma famille puait la peur, personne ne croyait savoir pourquoi, alors tout était bonne raison. Aussi quand l'envoyé de Corinthe arriva annonçant la mort de Polybe et de Mérope, il n'avait pas fini de parler qu'ils avaient tous compris. Moi, je fus comme soulagée, il me sembla sortir de la brume d'épouvante que mes parents exhalaient et je compris qu'ils avaient, éperdument, cherché des prétextes à leurs terreurs : c'était l'inconstance des peuples, la fourberie de Créon, les mains traînantes d'Œdipe qui donnaient obligeamment à Jocaste de la nourriture pour ses cris et ses colères. Mon père jouait l'inceste imminent pour masquer l'inceste passé. Quand, les yeux crevés, il mit la main sur mon épaule, je n'eus pas peur qu'il la fît descendre. Certes, je ne partis avec lui que par faiblesse d'enfant et la ferveur des filles n'était pas mon lot, mais d'un instant à l'autre j'avais cessé de le craindre et il cessait d'être cet homme bavant qui me poursuivait dans les coins. J'étais trop jeune pour refuser de l'accompagner comme je refuse aujourd'hui le rituel funéraire à mon frère, mais si j'étais restée ce n'eût pas été pour éviter ses attouchements. Quand l'hiver vint et qu'il fit froid, je dormis sans crainte entre ses bras, sous le maigre tissu qu'il écartait pour me couvrir, contre sa poitrine nue. Dès qu'il se fut reconnu fils incestueux, Œdipe cessa de convoiter ses filles, comme s'il avait cessé d'avoir à construire son crime. L'horreur fut située là où elle avait eu lieu : dans le passé, et il laissa l'avenir tranquille. Il était trop tard pour que je pusse l'aimer et lui-même m'avait trop outragée pour me pardonner. Mais il veilla à me nourrir et je fus attentive à ses pas. Nous eûmes, l'un pour l'autre, les égards normaux de deux compagnons de route.

Hélas ! qu'avais-je à faire dans ce voyage ?

De quel droit m'arrachait-il à mon destin de princesse, au gynécée où je trichais et me faisais enseigner en secret, par de vieux hommes que mon goût du savoir émouvait, les choses qu'on n'apprend pas aux filles ? Il m'avait d'abord donné du dégoût pour le corps des garçons, puis il m'ôta le destin tranquille qui m'aurait peut-être convenu : j'étais riche, rien ne m'obligeait au mariage, je peux imaginer que je me serais retirée dans le silence d'un temple parmi les femmes vouées aux dieux, il me jeta dans sa propre histoire. Pourquoi pas Ismène ? La trouva-t-il trop bête ? Avais-je, par ma résistance, conquis son estime ? Ah ! j'aurais dû être craintive et tremblante, je serais restée à Thèbes et ce jeune imbécile d'Hémon ne serait pas tombé amoureux de moi. Pourquoi diable n'a-t-il pas aimé ma sœur ? Le voilà maintenant qui se dresse contre son père et Créon enrage doublement : je ne respecte pas les convenances, son fils l'affronte et déshonore la famille.

Créon est un glouton de l'honneur. Il en mangerait toute la journée, il va jusqu'à l'indigestion et on le voit gonflé, repu, rotant. Il sait tout sur les codes, les devoirs et les droits. Rien ne le rend plus heureux qu'une contestation de préséance, qu'une tache à dénoncer sur la pureté d'une réputation. S'il règne, désormais, c'est que c'est son droit, et regarde-t-on bien les choses, on voit qu'il a raison. Polynice était l'aîné, Étéocle eût-il gagné la bataille, il approuvait un règne lié au droit des armes, mais il est à présent le premier héritier. Mon stupide frère l'accusait de chercher le pouvoir : mais non ! Créon n'est amoureux que des conventions qui gouvernent son âme. Il est fou de joie s'il découvre un usage oublié, une tradition à ressusciter, il gémit de plaisir quand on lui expose un point d'honneur, il sait tout sur le prix du sang, que ce soit celui des vierges violées ou des guerriers. Il ne m'en veut pas personnellement, il ne pardonnera jamais à une Labdacide qui a trahi ses devoirs. Déjà Laïos l'avait scandalisé : certes, il s'est fort mal conduit avec son fils, mais là n'était pas la question. Le destin de l'enfant sacrifié ne le troublait pas, un père a droit de vie et de mort sur son fils, mais il faut que le fils ait mérité la sanction et le jour de sa naissance, Œdipe n'avait pas encore eu le temps d'offenser son père. Créon espère que je transgresserai ses ordres, Hémon me soutiendra, cela est sûr, et son père le condamnera à mort l'âme en paix, pour raison d'État, mais Laïos ne protégeait pas l'État, il pensait à sa peau quand il ordonna d'exposer un nouveau-né.

Il faut bien dire que la jeune mère n'en fit pas un drame : elle aimait plus le plaisir que la maternité, un enfant qui eût ôté l'amant de son lit n'excitait pas ses passions, on a vu, veuve, comme elle se jeta voracement sur l'adolescent qui venait de vaincre le Sphinx. Elle ne donna pas beaucoup de temps au deuil mais, sitôt pourvue du nouvel époux, promit une récompense à ceux qui livreraient les meurtriers de Laïos. La pauvre femme était condamnée à des lâches : le premier mari tremblant aux vagissements de son fils à peine sorti du ventre comme s'il entendait les cris sauvages de l'assassin, puis Œdipe poursuivi par l'oracle et qui fuyait sa mère ! Je suis issue d'une veuve en rut et d'un fuyard, et c'est de moi qu'on attend l'héroïsme et que je sacrifie ma vie ! Je serais bien la première depuis Cadmos ! Vieux sang ne peut mentir, c'est par fidélité à ma lignée que je serai lâche.

Créon poste tous les soirs des sentinelles autour de la charogne, persuadé, bien sûr !, que je n'oserai agir que cachée par la nuit, cherchant dans ma terreur à fuir le châtiment. Si j'étais d'humeur à le satisfaire, j'irais en plein jour, parée de fleurs, en chantant et en dansant. Il suppose que je suis couarde à la façon de mes pères, que je crains pour ma vie et mes plaisirs, alors que je suis arrogante et haineuse. Je nargue Thèbes et son roi, il croit que je suis poltronne. Il comptait bien, en proclamant son interdit, que les sœurs se révolteraient : c'est que si nous avons des fils, ils auront plus de droits au trône qu'Hémon et l'ambition de Créon ne s'arrête pas à lui-même. Avoir de bonnes raisons de faire exécuter Ismène et Antigone lui conviendrait. En vérité, je me moque de vivre, je prends mon plaisir où je peux et c'est en le défiant. Il le sent, c'est le seul point où il ne se trompe pas, mais il n'a pas compris comment. Il croit que j'attends mon heure, une nuit sans étoiles, une obscurité profonde où me faufiler impunie, et surveille le ciel quand il ne m'a pas sous les yeux. Il a ordonné à mes servantes de me suivre partout, la nuit il y en a toujours une qui me veille et sursaute quand je me retourne dans mon lit. Comme je dors mal, je prends un mauvais plaisir à la déranger. Il me faut toutes les dix minutes un verre d'eau, un autre oreiller, une couverture de plus, une couverture de moins. Le matin, elle a la mine défaite et comme j'interdis le fard à mes femmes, cela se voit. Moi, je suis trop jeune pour que l'insomnie marque mon visage. Je me souviens de Jocaste qui entourait son sommeil de mille soins, il lui fallait une chambre très obscure pour ne pas plisser les paupières, elle enduisait de crème son visage, dormait sous les draps les plus fins pour ménager sa peau et vieillissait sans relâche. Sans doute elle était rongée par la peur et par le travail terrible qui l'occupa pendant tout son mariage avec mon père, celui de tenir à distance l'une de l'autre les deux choses qu'elle savait : Laïos avait fait percer les talons de l'enfant et Œdipe avait des cicatrices aux pieds. Je pense que sa mère était épuisée mais, même à bout de forces, je sais qu'elle n'a pas choisi de mourir. On a dit qu'elle s'était pendue : c'est faux, j'étais là. Je l'ai vue entrer dans la chambre après que l'envoyé de Corinthe eut parlé : elle marchait comme une vieille, courbée, cassée, elle se dirigea vers son miroir, s'assit et dit, comme elle avait déjà dit des milliers de fois :

— J'ai une tête à faire peur.

Puis elle prit un pot de pommade. Voilà la douleur de ma mère : elle étendit de la crème sur ses rides. Je regardais terrifiée la mère incestueuse et je voyais une vieille femme harcelée par la peur de vieillir davantage, elle étirait la peau de ses joues vers les tempes et cherchait derrière le flétrissement le visage de sa jeunesse. Elle ne me vit pas. Ce n'est pas que je me cachais, mais elle ne regardait que soi et peut-être, dans l'eau glauque du miroir, sa vie et son époux s'éloigner. Les secondes qui passaient étaient les dernières, Créon avait décidé sa mort. Il marchait déjà à grands pas dans les couloirs du palais, porté par la colère et son bon droit. Jocaste tendit la main vers un flacon de vin, une suivante se hâta de remplir la coupe. Le destin de ma mère courait vers elle. Elle but, espérant je crois que le vin embrumerait sa vue et son esprit, mais elle n'avait encore pris qu'une gorgée quand la porte s'ouvrit avec fracas et son frère entra.

– Quoi, dit-il, tu vis encore ?

Je me laissai glisser vers le sol, parmi l'amas des coussins et des tissus précieux, incapable d'endurer ce que je pressentais. Ma dernière image de Jocaste vivante est qu'elle tient la coupe à deux mains, elle quitte des yeux son reflet et lève le regard vers Créon. Après, je ne fis plus qu'entendre, et c'est le frère ordonnant la mort à la sœur :

– Le peuple est hébété d'horreur, il se regarde, gouverné par un couple incestueux. C'est donc là le crime que les dieux reprochaient aux Thébains ! Sur le trône les coupables se caressaient en riant pendant que le peuple mourait, que le bétail stérile dépérissait dans les champs où plus rien ne poussait ! Tu ne peux pas vivre. Tue-toi avant qu'ils ne te lapident, lave dans ton sang l'honneur du nom.

Il tonnait avec passion, une femme qui m'avait vue s'approcha silencieusement de moi, m'empoigna et m'emporta. Je n'ai donc pas assisté à ce qui suivit, mais je crois que Créon la fit pendre par ses gardes. Une femme qui pense à la corde ne se pommade pas les joues. Le soir, je fus appelée dans la salle du trône et je vis Œdipe le visage couvert de sang coagulé, ses yeux suintaient encore. Nous partîmes. Il refusa que je le lave. Je ne le regardais jamais mais malgré moi j'imaginais, et l'image hantait mes rêves, le terrible masque de croûtes, de poussière et de sang séché.

C'est ainsi que je fus exilée par le crime de mes parents. Ma sœur et mes frères restaient à la cour, je fus élue au rôle de fille sacrifiée. Il allait de soi que j'avais à être heureuse de l'honneur qui m'était fait, je recevais une charge admirable, qui ne m'envierait pas le noble devoir de guider le père aveugle ? Mais si Œdipe m'a tenue au chaud pendant les plus froides nuits de l'hiver, je ne veux pas qu'on croie que la moindre affection se déploya entre nous. Le temps passa, les croûtes tombèrent, le sang séché fut lavé par la pluie et je revis le visage de mon père avec son air sournois. Il n'avait plus de regard à cacher mais il garda l'habitude de fuir le regard des autres.

– Tu seras l'exemple de la fille admirable, disait-il en ricanant, tu auras donné ta vie à mon expiation. Tu serviras de modèle aux générations, en ton nom, on prêchera le sacrifice des filles et des femmes aux nobles causes des hommes. Ton nom sera celui de l'honneur des familles. Tu peux me haïr autant qu'il te convient, tu ne t'arracheras jamais à ta légende.

Je n'étais qu'une enfant mais je ne le suis plus. Je n'enterrerai pas mon frère. Être prise une fois dans le jeu, passe encore ; deux fois, je serais stupide. Le combat de mes frères n'était pas le mien. Dans la salle du trône, le soir, Polynice triomphait.

Je le comprends bien : il avait eu comme moi, à tenir écartées de lui les mains d'Œdipe et maintenant notre père aveugle ne voyait même plus où nous étions. Il riait, tournait autour du vaincu, voltigeait en disant :

– Touche-moi ! touche-moi si tu peux ! tu ne sais pas où je suis.

Créon nerveux, tentait de le contenir :

– Ne joue pas. Tu dois régner.

Mais l'enfance jubilait en Polynice. Il se croyait vengé : il n'avait pas été l'instrument de la vengeance. Ah ! s'il eût frappé son père quand il voyait encore, je ne dis pas que je n'aurais pas eu quelque estime pour lui, mais il se contentait de jouir d'une situation dont il n'était pas l'auteur. Dès cet instant, je perdis ce que j'avais eu de gratitude à son égard. Il m'avait, jadis, ôtée aux outrages par ruse : jamais par force. Il n'avait pas affronté l'ennemi, Œdipe n'était aveugle que de ses propres mains. Le triomphe facile de mon frère me fit le mépriser. Ce fut le seul moment de ma vie où je fus dans le parti de mon père : j'y fus seule. Quand Polynice se calma enfin, qu'il alla s'asseoir sur le trône et cessa de brandir le sceptre dans tous les sens, je vis Créon se détendre. La sentence d'exil fut prononcée. Je sentis l'étonnement d'Œdipe. Mais qu'avait-il donc cru ? Rêva-t-il, parricide et incestueux, qu'il pouvait rester dans Thèbes ? Il se mit à proclamer son innocence et ne cessa jamais. Je ne savais pas, disait-il, l'éternel argument des sots. Dans l'interminable soliloque qu'il commença le soir même sur la route, il avoua parfois, mais chaque fois le lendemain il feignait de l'avoir oublié, qu'il aurait pu savoir. Il n'ignorait pas qu'il avait eu les talons percés, dès qu'il faisait humide le rhumatisme se mettait dans les cicatrices, et, bien sûr, il n'avait pas vécu vingt ans dans Thèbes sans avoir entendu parler du fils exposé par le roi !

Mais pourquoi s'est-il crevé les yeux ?

On a dit que quand il est entré dans la chambre de Jocaste et l'a vue pendue, il a poussé un cri terrible. Je n'étais plus là. A-t-il tout à coup reconnu sa mère dans la vieille épouse qui le harcelait tous les soirs ? Mais quelle mère ? Jamais on n'a dit que Jocaste s'était opposée à Laïos, qu'elle avait voulu préserver son enfant de la mort. Aucun récit – et qu'on me croie si je dis que je les ai tous écoutés, c'est ma propre histoire qu'ils racontent –, aucun ne la montre se dressant contre son époux. Ma mère a laissé tuer son fils, qui était mon père. Je crois que, quand il la vit morte, l'horreur de son histoire le frappa. Il se reconnut comme fils sacrifié deux fois aux plaisirs du lit : Jocaste avait eu peur de perdre un époux et puis s'était jetée sur le premier amant qu'on lui offrait. Toujours, sa mère avait préféré sa jouissance à son fils : je le sais bien, moi qu'elle ne protégea pas. Oh ! elle criait sur Œdipe comme il se devait, et Créon approuvait paisiblement, c'est ainsi que les choses doivent se passer dans les familles, les pères tripotent, les mères crient puis les emmènent au lit où les délivrer du trop-plein qui les énerve. Mon père se vit le fils de cette vieille morte qui n'avait aimé de lui que son sexe érigé. Il crut, se crevant les yeux, qu'il ne se verrait plus et ne se rendit aveugle qu'au monde. La stupide Ismène ne lui défendait pas son corps, moi bien, il me choisit comme une mère qui l'aurait reconnu à temps et ne lui aurait pas ouvert son lit.

Combien de fois, pendant le voyage, il me rebattit les oreilles de sa fureur contre lui-même !

– Un homme comme moi, rusé, sournois, avisé, se laisser aller ainsi à un mouvement d'humeur et m'amputer de la vue ! Je ne me le pardonnerai jamais !

Bien sûr, il se présentait partout en victime de la pénitence, et je suis la seule à l'avoir entendu enrager. Le moment où il vit son destin d'enfant abandonné fut sans doute son unique moment de vérité. Le parricide et l'inceste ne furent que piètres vengeances : je le sais bien, moi qui n'ai, hélas ! été ni abandonnée, ni défendue.

Parfois j'eus pitié de lui quand il écumait ainsi de colère. Mais pas dans la salle du trône où il fut stupide. C'est ce soir-là que Polynice fonda la haine d'Étéocle.

Mon frère aîné a toujours eu un côté bravache qui paraissait bien sot chez un fils de roi. Il se pavanait en disant qu'il était l'aîné à des gens qui n'en doutaient pas. Il exigeait le respect et la soumission des Thébains depuis toujours morts de peur. Quand son père était roi, il ne l'avait jamais affronté : ce soir-là, il se moqua, le nargua, lui fit des grimaces et des pieds de nez, tellement ivre de sa fausse victoire qu'il en oubliait qu'Œdipe ne le voyait pas. À deux pas, Étéocle attendait.

Le cadet passe toujours après. Dans les couloirs du palais il marche derrière, on salue d'abord l'aîné, il est servi le deuxième à table. Quand Polynice aurait fini, Étéocle comptait bien s'y mettre. Ce fut long mais nous vîmes le nouveau roi s'essouffler, à force de crier des insultes il s'enroua et, chancelant, étouffant de rire, il trébucha vers le trône où il s'affala. Aussitôt, Étéocle se dressa et bondit vers Œdipe, il avait, cela se sentait, l'insulte à la bouche, le crachat rassemblé, la fureur dégainée.

– Halte là! dit Polynice.

On n'avait pas encore l'habitude d'obéir à cette voix un peu grêle, il dut se répéter. Le frère se tourna vers lui:

– Comment ça, halte là?

– De quelle façon comptes-tu t'adresser à mon père?

Étéocle fronça les sourcils:

– Mais... comme toi!

– Moi, je suis le roi, dit-il, devant moi un fils parle poliment à son père.

Ah! comme Créon jubilait! Le frère cadet resta un instant sidéré, puis se secoua.

– Tu plaisantes?

– Non, et si tu dis à notre père un seul mot qui ne soit pas du parfait respect, je te ferai jeter dehors par les gardes. Heureux si ce n'est pas en prison.

Et Polynice pour appuyer ses paroles fit un geste: les gardes avancèrent tous d'un pas.

Tel fut son premier acte royal. Après, quand il prononça la sentence d'exil, le regard d'Étéocle s'attarda longuement sur moi. Je crois qu'il m'envia.

Œdipe a beaucoup parlé de notre misère : là comme ailleurs, il a menti. J'avais ma fortune et lui la sienne, jamais nous n'avons manqué de rien. Si, aux yeux de Thèbes, il était sacrilège, moi j'étais la fille admirable qui voue sa vie à l'aveugle, personne ne m'a jamais refusé ses services. Des serviteurs nous apportaient régulièrement de l'argent, mais les paysans nous auraient nourris et hébergés sans paiement.

Œdipe tenait à sa condition d'exilé misérable : nous dormions dehors. Nous étions censés vivre d'aumônes : les domestiques nous suivaient et payaient. Parfois un paysan qui ne savait pas qui nous étions ronchonnait à nos demandes : derrière Œdipe gémissant, on faisait luire de l'or. Des mendiants en lambeaux, des pièces bien brillantes, des croûtes sur les yeux : oh ! on ne nous oublierait pas de sitôt ! Je portais des vêtements déchirés, aucune épingle ne retenait mes cheveux et je dissimulais si bien ma propreté sous les haillons que je semblais aussi sale que loqueteuse. Il y tenait beaucoup et me tâtait pour s'assurer que je ne trichais pas. Il portait une barbe mal taillée et se lavait rarement les cheveux. Nous n'avions, bien entendu, pas de vermine, on n'en prend pas en couchant à la belle étoile, et comme mon père feignait de n'avoir pas les moyens de payer l'auberge même la plus médiocre, nous étions à l'abri des poux. Le soir, j'allumais un feu au bord de la route : ah ! les malheureux errants ! et un serviteur apportait un lapin bien paré que je cuisinais à la flamme. Je m'y suis dégoûtée de la viande grillée. Je crus quand la saison des grandes pluies arriva qu'il aurait un peu de bon sens : non, nous fûmes trempés, à cent pas de nous les domestiques dormaient sous une petite tente. C'est là que je devins sûre d'avoir la meilleure santé du monde.

On a dit bien des sottises sur notre arrivée à Colone et sur l'accueil généreux de Thésée. Il est exact qu'il fut tout à fait poli, mais je n'ai jamais vu un homme aussi embêté. Il savait ce qui s'était passé à Thèbes, nous avions voyagé plus lentement que les nouvelles. Comme Polynice avait continué à faire l'imbécile, il avait dressé contre lui jusqu'aux familles les plus pondérées de la ville et quand Étéocle l'avait bousculé à bas du trône, il avait été soutenu par l'armée. Le plus stupide de mes deux frères courait donc partout pour rassembler des troupes et il allait venir demander son appui à Œdipe. Mon père s'écroula de rire. En se crevant les yeux, il n'avait pas abîmé ses glandes lacrymales, les pleurs lui coulaient sur les joues, il hoquetait et perdait son souffle.

C'est la meilleure, disait-il, c'est la meilleure.

Je ne sais ce qu'il y avait dans le caractère d'Œdipe qui le mettait toujours à deux doigts de la vulgarité. Tant qu'il régnait, les attributs du pouvoir l'avaient retenu, on ne se tape pas bien sur les cuisses avec un sceptre à la main. Ici, il perdit l'équilibre comme un homme ivre, il se roula dans la poussière et rit si fort qu'il pissa dans ses hardes. Au moment où Thésée lui avait donné la nouvelle, il avait une coupe de vin à la main, qu'il renversa sur lui. Comme il était aveugle, en tombant il n'avait pas évité un petit tas de crottes de chèvre, si bien que quand il se releva calmé, il sentait l'urine, l'ivresse et la merde. Un père, je vous dis ! Je fis signe aux domestiques qui accoururent avec des seaux d'eau : quand le roi, mon père, sentit qu'on l'aspergeait et qu'on voulait lui ôter ses vêtements pour les renouveler, il commença son théâtre habituel, il tenait à sa crasse comme on tient à ses crimes. C'est là que je fis ma seule belle et grande colère. À mon grand regret je ne sais plus exactement ce que je lui dis, mais je crois que j'ai parlé toute une heure sans que l'inspiration défaille. Thésée, qui n'a pas bonne mémoire, n'a jamais pu me répéter complètement mon discours. Je n'ai que des souvenirs partiels, où je m'entends lui dire que depuis ma naissance je vis dans la puanteur de son âme et que je ne veux pas endurer une minute de plus celle de son corps, que maintenant qu'il a les yeux crevés, au moins il ne peut plus chercher à voir mes seins par l'entrebaillement de ma tunique et que je suis bien heureuse d'être délivrée de son regard, mais que moi je dois toujours le voir, ce qui me fait mal aux yeux, j'en deviendrais myope, alors au moins, puisqu'il est convenablement cicatrisé, qu'il ne m'impose pas la vue de ses habits couverts d'excréments. J'ai ordonné aux serviteurs de le peigner, de lui couper la barbe, de lui mettre un habit décent, tel qu'au moindre geste je ne risque plus l'apparition, par les trous de la tunique, de ses génitaux en désordre, et qu'on lui donne un bâton, j'ai l'épaule gauche qui s'affaisse à force de le soutenir. Thésée m'a dit que je le prenais sans cesse à témoin et que j'ai exigé qu'il m'envoie des femmes pour s'occuper de mon bain et de ma toilette. On me parait, on accrochait à mon cou les joyaux les plus précieux de ses trésors que je fulminais toujours, furieuse qu'à Thèbes Ismène pût tranquillement porter les bijoux de Jocaste pendant que moi, vouée au malheur de mon père, je croupissais dans la poussière. Il paraît que j'ai exigé les huiles les plus fines, les parfums les plus coûteux. Je suis, pour autant que je sache, une femme sans coquetterie, si j'ai un vêtement propre et décent je suis contente, et pourtant quand Thésée me raconta tout cela j'eus comme une impression de vérité, des bribes de souvenirs me traversaient et je ne pus pas ne pas le croire, même s'il reste qu'il m'est difficile de me reconnaître dans la femme adornée, maquillée comme une reine d'Égypte ou comme un putain qu'il me décrivait. À la fin de ma colère, il semble que j'étais splendide à voir et il est certain que j'ai encore dans l'oreille les murmures de stupeur et d'admiration de la foule qui nous entourait. Tout cela s'était passé en pleine campagne, où j'avais exigé une baignoire et des draperies tenues à bout de bras pour m'entourer et satisfaire ma pudeur qui, au plus fort de ma rage, ne se démentit pas : là, au moins, c'est bien moi !

Mais que je me sois dressée devant le chef d'Athènes en disant : as-tu déjà vu femme plus belle que moi ? je n'y croirais pas si cent témoins ne le garantissaient. Il paraît qu'Œdipe propre et peigné se tenait tout petit dans son coin et que personne n'osait le regarder, même s'il n'en eût rien su. Il est clair que, ce jour-là, Thésée fut au moins pendant une heure fort amoureux de moi, dont il lui resta toujours de la tendresse. Je ne savais pas qu'une colère débridée peut charmer un homme, Hémon le confirma quelques mois plus tard. C'est qu'en vérité, je n'ai jamais plus décoléré, mais je n'ai eu de talent oratoire que cet après-midi-là. Ma tendance est à la colère muette : ainsi, cette nuit, j'ai la gorge nouée par la rage et tout à l'heure, quand j'ai demandé de quoi écrire, je pouvais à peine former les mots. Il ne me semble pas qu'en ce moment j'aie le regard enflammé ni les gestes larges et gracieux que Thésée a décrits. Plutôt, je me sentirais resserrée, étriquée, enfermée.

Un serviteur se tenait au côté de mon père et lui racontait ce qui se passait. Il dit qu'Œdipe se ratatinait. C'est son mot, qui me paraît fort. Il devenait petit, maigre et vieux. Quel pouvoir j'ai eu !

Quand Polynice arriva, mon père ne reprit pas d'ampleur et moi qui le connaissais bien, je sais que ses malédictions sonnaient creux. Il essaya de faire tonner sa voix : il ne fit pas frémir les feuilles des arbres, on ne l'entendait pas à dix pas. Il en était furieux, et c'est dans sa rage contre son impuissance qu'il reprit quelque force. Polynice, un instant triomphant dans la salle du trône, reprit son air penaud de gamin surpris les doigts dans le pot de confiture : c'était faire bien de l'honneur à un homme qu'en dix minutes la vieillesse venait d'abattre, mais Œdipe se redressa en entendant la voix suppliante du coupable.

La vigueur fugace du père déclencha la lâcheté du fils et Polynice vite convaincu qu'il perdait son temps s'en alla tête basse. N'était Étéocle, je dirais bien que dans cette famille je fus la seule à montrer quelque fermeté. Quand je vis le frère en détresse, je me tournai vers le père et dis :

– Va te coucher, maintenant, on ne joue plus.

Et il obtempéra, désarmé.

Il mourut cette nuit-là, je n'ai pas su comment. Au matin, on le trouva froid et raide sur le tas de feuilles où il avait couché. Moi, pour la première fois depuis des mois, j'avais dormi dans un lit bien tendu, sous de bonnes couvertures de laine. Je me sentais d'excellente humeur quand on vint m'annoncer que j'étais orpheline. J'eus à cœur que cela ne gâtât pas mon déjeuner, je n'avais pas mangé de pain si frais et si croquant depuis longtemps, c'est à regret que j'avoue que, malgré tous mes efforts, mon appétit fut coupé. Ce poison d'homme ne me laisserait donc jamais la paix ? Je me mis en route et vis le roi déchu sur sa couche misérable. Il était roulé en boule, plus tard il fallut lui briser les articulations pour lui donner une posture convenable. Son visage était crispé comme s'il avait souffert. Avait-il été empoisonné ? J'ai peine à imaginer Œdipe se tuant, mais je vois fort bien Polynice revenant en tapinois et versant un peu de ciguë dans son vin. On dit que les aveugles apprennent à reconnaître les gens aux bruits qu'ils font : Œdipe se fût méfié de son fils, mais après Thèbes il ne l'avait ré-entendu qu'une fois et je sais bien que mon père n'avait pas eu le temps d'affiner son oreille.

On raconta qu'Œdipe s'était retiré et qu'il avait demandé aux dieux de reprendre sa vie. Devant la force de son remords, les dieux auraient accompli son vœu. Je ne démentis rien. On oublia discrètement l'inconduite de la fille qui avait pris son bain au milieu de la campagne en invectivant son père. Grand bien leur fasse, mais je n'enterrerai pas mon frère. Ils sont décidés à se servir de moi pour fonder une légende, je lutterai de toutes mes forces. Je me sentirais responsable de cent générations de filles et de sœurs à qui on me donnerait en exemple : Plais aux Dieux et aux Devoirs, petite, comme Antigone a fait ! Antigone est furieuse et ne cèdera pas. J'attends que, dans la salle du trône, Créon s'en convainque et me laisse en paix, mais il s'acharne et m'envoie des femmes gémissantes qui me décrivent l'âme éperdue de Polynice réclamant le repos. Que le diable les emporte ! Je leur réponds en décrivant le fils qui crache sur son père aveugle et saignant. Elles me disent que ça, c'est le passé. La sottise me tuera, si ce n'est pas mon oncle.

Étéocle était resté à Thèbes où il essayait de remettre l'armée en état de se battre. En quelques mois de règne, Polynice avait installé la débauche et la corruption : on ne trouvait pas les officiers, les soldats étaient retournés aux champs, les armes traînaient rouillées dans les salles désertes, les grandes pluies avaient percé les toits et personne n'avait ordonné de réparer. Le petit Étéocle se déchaîna, rameuta son monde, fit rentrer les impôts et fortifier les murs de la ville. Quand Polynice arriva avec ses armées, il était attendu.

Je ne quittai Athènes que quelques semaines après les funérailles de mon père, Thésée m'avait convaincue de rester prendre du repos. Il me fit connaître sa ville et je découvris que je venais d'une province reculée. Je rencontrai des femmes cultivées, auprès de qui je me rendis compte que le savoir que j'avais volé aux vieux précepteurs n'était que pacotille. J'assistai à des discussions sur les mathématiques et la philosophie auxquelles je ne compris rien. C'est là que j'appris ce qu'il en était de l'oracle qui avait régi mon destin.

Œdipe m'avait souvent fait le récit du combat où Laïos mourut. Les serviteurs, lâches comme tous les Thébains, s'étaient égaillés dans tous les sens. Laïos se dressait au milieu du chemin, barrant la route et hurlant des insultes à un adolescent ahuri dont le premier mouvement avait été, le plus poliment du monde, de céder le passage. Il en fut empêché par la rage du roi qui se précipitait sur lui l'arme à la main. Œdipe esquiva, tomba et se fâcha. Que lui voulait-on ? Je me suis parfois demandé si, par quelque effroyable intuition, Laïos avait reconnu son fils et essayé, une deuxième fois, de le tuer. Cette idée extravagante ne me déplaît pas, qui donne de la cohérence à mon grand-père et relie sa mort à son crime. Je n'ai jamais vu bien grand drame dans le fameux parricide : après tout, la première intention de meurtre appartint à Laïos, rien se serait arrivé s'il eût tranquillement élevé son fils, comme il convenait. La célèbre prophétie faisait fureur cette année-là. On l'avait lancée à Athènes, où les jeunes mères l'adoraient car elle rendait les maris jaloux, ce qui n'est pas facile en période de couche. Thésée m'avait dit qu'il en avait lui-même été l'objet, mais les Athéniens ne sont pas superstitieux. La mode atteignit Thèbes où les oracles n'ont pas beaucoup d'imagination. Elle suivit le malheureux nouveau-né jusque chez Polybe et imprégna l'âme d'Œdipe. En vérité, dès qu'il vit un homme abattu sous ses coups, il eut peur. C'est à son cadavre qu'il reconnut son père. Il avait toujours craint de tuer : quand il vit Laïos hurlant se précipiter, il essaya de se rassurer et de se faire croire qu'il n'allait tuer qu'un inconnu. On a vu qu'il n'y parvint pas.

On fit des poèmes à ma louange, et j'eus une scène violente avec mon hôte où je le sommai d'interdire qu'on mentît sur mon compte, mais j'eus beau tempêter, je n'obtins rien. Il disait qu'il ne censurait pas les poètes et qu'à Athènes on écrivait ce qu'on voulait. Je ne pouvais pas le croire, chez moi tout était contrôlé avant d'être rendu public. Cela me paraissait une étrange manière de régner, comment se défendre des attaques ? Mais il me fit lire des pamphlets où on disait le plus grand mal de lui et dont j'avais vu les auteurs en vie. Je fus obligée de le croire et d'endurer qu'on me décrivît comme on avait envie. Personne ne parla du bain et des bijoux mais, ah ! les descriptions de mes loques et de mon père vieux et malade ! On lui donna quatre-vingts ans et à moi la piété filiale.

La maîtresse de Thésée fut fort aimable avec moi et me fit rencontrer tout ce qui comptait. À Thèbes, une étrangère aurait provoqué de la jalousie. Je crus d'abord que je n'étais pas assez belle pour inquiéter ces femmes élégantes. J'avais commencé le voyage en gamine maigre et noiraude, j'étais arrivée desséchée. Ma beauté fulgurante n'avait pas duré plus d'une heure. Je ne suis pas laide, aucun défaut ne me dépare, mais je n'ai pas reçu l'éducation des femmes que je voyais là : elles bougent comme on danse, parlent comme on chante, à chaque instant elles donnent du plaisir aux yeux. Elles m'auraient tentée, si j'avais pu l'être, mais je ne suis pas de leur race. Pas un instant je n'eus l'illusion que j'étais capable de leur ressembler. J'occupe dans l'humanité une position exceptionnelle : je suis la fille de l'inceste. Je suis le produit de la faute. Le fils a pénétré la mère et l'a ensemencée : je suis née pour montrer l'horreur au monde. Comment aurais-je eu les cheveux blonds, le sourire doux, le regard tendre de ces femmes ? Ma peau est rêche, j'ai un rire sans joie, je suis repoussante comme il se doit. Avec quoi séduirais-je ? Si j'avais des enfants, ils porteraient les traces du crime, l'inceste traverse les générations, je suis le lieu du mélange abominable et je ne dois attirer aucun homme car à travers moi c'est toujours avec sa mère qu'il coucherait. La stupide Ismène croit qu'elle peut se marier et enfanter : je ne lui expliquerai rien, elle ne comprendrait pas, mais je l'entraînerai dans la mort et j'épargnerai à des enfants l'horreur de porter le sang d'Œdipe. Avec moi la race s'éteindra. Les filles n'auront plus peur de leur père, ni les fils de leur mère. Je suis la pacification.

Après quelques semaines, je sentis diminuer l'intérêt que j'avais éveillé. L'entichement se porta sur une jeune chanteuse de grand talent. J'avais repris du poids et perdu mon hâle de paysanne, je dis à Thésée que je voulais rentrer. Il essaya évidemment de m'en dissuader, me dit que j'allais vers la guerre. Je le savais bien : où croyait-il que je pouvais aller ? Pensant que je m'y plaisais, il voulait que je reste à Athènes : mais j'avais eu l'habitude d'être la femme la plus intelligente de Thèbes, ici j'étais ignare comme une servante.

Étéocle me fit grand accueil. Je ne l'avais pas vu depuis les yeux crevés d'Œdipe, en un an il avait passé homme : petit, râblé, velu, on disait qu'il ressemblait à Laïos. Il attendait joyeusement Polynice pour le tuer, aucun doute ne troublait son âme, il serait vainqueur.

– Sans doute vas-tu me dire que les dieux sont avec toi ?

– Je me moque bien des dieux : je déteste Polynice. Lui, il veut le pouvoir et ne me tuerait que parce que je me suis mis sur son chemin. Moi, je veux sa mort. Je crois que ma haine sera plus meurtrière que son goût de régner.

Le raisonnement ne me déplaisait pas. Peut-être, si nous avions eu le temps, ce frère-là et moi aurions pu nous plaire. Mais je n'ai pas eu de chance avec les frères, il ne faut pas oublier que l'un d'entre eux fut mon père.

Ismène tremblait au fond du gynécée. Avant de partir, j'avais cru qu'elle était belle, peut-être même en avais-je été jalouse ? Maintenant, j'avais vu les femmes d'Athènes : ma sœur avait le teint brouillé, le cheveu terne et trouvait le moyen, à seize ans, de marcher pesamment. Elle me prit dans ses bras et versa un pleur sur la mort de notre père.

– Tu seras donc toujours stupide? Tu te moques bien de sa mort, tu ne l'aimais pas plus que moi. Qui comptes-tu abuser? Si c'est moi, c'est manqué, si ce sont les servantes, elles s'en fichent.

Elle eut l'air perplexe:

– Mais, c'était notre père!

Je haussai les épaules. Ma sœur est incurable, elle n'a rien compris à notre histoire.

– Si tu tiens à pleurer, garde tes larmes pour tes frères. Un des deux, au moins, mourra dans la bataille, et je ne sais pas quel destin nous fera l'autre.

La véritable bêtise ne comprend aucun raisonnement. Ismène me croyait prophète depuis que, dans notre enfance, je l'avais mise en garde contre Œdipe. Je n'insistai pas. La guerre était proche: qu'elle joue en paix pendant le temps qui lui restait. Quand les armées de Polynice parurent à l'horizon, je mis mes vêtements de deuil.

– Qui comptes-tu pleurer, lui ou moi? me demanda Étéocle qui avait l'air soupçonneux.

– Moi-même, répondis-je. T'es-tu jamais demandé qui tu serais si tu n'étais pas né d'un inceste?

– Je m'en moque, dit-il.

La trêve était terminée mais je ne le regrettais pas car je n'en avais pas joui. Moi, je suis née pour les crises, le calme me déconcerte. J'y deviens nerveuse, je sursaute au moindre bruit, mon ombre me fait peur et j'ai le souffle court. Étéocle rayonnait.

Peut-être était-il comme moi, ce frère dont je n'ai presque rien su ? Il alla au combat en riant mais je ne pense pas qu'il croyait y survivre. Il achevait son destin comme on finit son œuvre, car il avait été le seul d'entre nous à inventer son histoire. Polynice fut roi parce qu'il était né le premier, mais Étéocle se révolta, fomenta un complot, tous actes qu'il choisit. Ismène et moi nous suivons les voies qu'on nous trace, sauf cette nuit où je n'enterre pas mon frère, ce que l'ordre m'imposerait. J'enrage, car je n'ai pas d'histoire : je suis le lieu de l'histoire des autres. Je n'aurai servi que d'emblème, aucun homme n'a posé sa bouche sur la mienne, mes seins n'ont pas connu de caresses ni mon ventre le poids d'un ventre. À cause d'Œdipe, je n'aurai rien su des corps, mes propres mains ne m'ont jamais touchée à cause des siennes, à peine si, depuis son regard, j'ai osé me chercher dans les miroirs. J'aurai passé pour rien. Je resterai seule à connaître ma révolte et si les femmes me voient pleurer, elles croiront que je suis triste quand c'est la rage qui m'anime.

Elles chuchotent, effrayées par cette fille qui ne se conforme pas à ce qui est prescrit. Bientôt, elles auront peur de me servir, elles penseront que les dieux vont se détourner de ceux qui me soutiennent. Je leur dis qu'elles ne font qu'obéir aux ordres du roi qui ne veut pas voir sa nièce sans nourriture et sans abri. Cela ne les rassure pas : depuis quelque temps, les rois de Thèbes font peur, ils finissent mal. Je leur dis que Polynice était un enfant maudit, qu'il était le fruit du crime : elles ne savent plus, elles ont la mémoire si courte. Alors j'ordonne qu'elles me lavent, me donnent des habits propres, qu'elles m'apportent du lait et du miel : elles se calment.

Polynice mourut le premier, ainsi c'est en roi légitime qu'Étéocle s'éteignit. Garçon, je serais montée sur le trône, les filles ne règnent pas. Elles attendent. Je fais attendre Créon. Il trépigne dans la salle du trône.

Hémon campe devant ma porte. Je lui ai expliqué cent fois que je ne l'épouserai pas, mais il dit qu'il m'aime. C'est un jeune homme bien élevé et sensible, il sait que mon père cherchait toujours à me tripoter et ne s'approche jamais de moi. Il m'aime à six pas.

– Si tu m'épouses, il faudra bien que tu te rapproches, et cela ne me plaira pas.

– On verra, dit-il.

Je déteste les gens qui arrêtent leur réflexion au milieu d'un raisonnement. Créon, au moins, a de la suite dans les idées : cela conduit à ma mort mais, en vérité, que m'importe de vivre ? Que ferais-je de moi ? Ceci est la dernière bataille, avec moi la lignée s'arrête. Nous avons plus de chances que les Atrides qui transmettent l'horreur depuis cent générations. Le crime de Laïos aura été vite payé, dans quelques heures Ismène et moi serons mortes et Thèbes, qui a la mémoire courte, pourra commencer à nous oublier.

Les servantes s'agitent au fond de la chambre. Elles chuchotent, me regardent, elles ont l'air d'avoir peur.

– Qu'y a-t-il?

La nourrice seule ose me répondre.

– On dit qu'Antigone a été arrêtée sur le champ de bataille. Elle s'apprêtait à remplir les rites.

Pendant un instant je ne comprends pas. Mais je suis déjà en colère et c'est ma fureur qui m'éclaire. Ainsi Créon n'a plus voulu attendre. Quelle femme a-t-il chargée des tâches qu'il m'assignait, quelle récompense a-t-il promise?

– Mais je suis ici, sans cesse sous vos yeux, dis-je à la nourrice.

Elle se trouble.

– On t'a vue. On t'a reconnue. Une petite femme maigre et noire, arrogante, la tête haute entre les gardes qui l'avaient arrêtée, elle sourit fièrement et ne parle pas. C'est bien toi, tout ça.

– Où est-elle?

– Au cachot le plus secret. Personne ne peut l'approcher, elle sera exécutée à l'aube. Il faut que tu t'enfuies.

Créon pue et je ne peux m'empêcher de l'admirer. Il a donc fini par comprendre qu'il ne devait pas compter sur moi. Je sais que je serai vengée: j'envoie une servante dire à Hémon qu'il est temps de s'apprêter à mourir car on me tue à l'aube. Le roi est lent d'esprit et croit que chacun tient plus que tout à la vie, le suicide annoncé par son fils lui paraît impossible. Je veux qu'Hémon ne traîne pas dans les couloirs du palais en clamant sa douleur, le roi finirait pas se méfier et, qui sait?, l'empêcherait de mourir. Il ne me faudrait pas, en plus, ne pas être vengée! Je me doutais bien que Créon voulait ma mort, mais je suis surprise par les moyens qu'il prend. Cet affamé d'honneur recourt à la traîtrise. Il loue les services d'une femme sans doute bien sotte puisqu'elle se fie à lui. Il a dû lui jurer la vie sauve. Tout le monde compte sur l'honneur d'Antigone, soit pour enterrer son frère, soit pour sauver une innocente. J'aimerais bien être capable de la laisser mourir. Je suis donc moi aussi contaminée par la vertu ? Je vais donner ma vie à une inconnue qui risque la sienne pour une poignée d'or ?

Mais vivre ? Pour quoi faire ? À quoi occuperais-je mes jours et mon âme ? Y a-t-il une seule chose que je désire ? Cette femme veut quelque chose – des vêtements, la nourriture pour l'hiver, un amant, que sais-je ? – elle le veut assez fort pour risquer la mort. Je ne me sens pas de taille à lutter contre elle. Qu'elle achète les biens dont elle rêve et que mon sang salisse Créon ! Mais je n'espère pas que les siècles accablent mon détestable oncle, personne ne saura rien du tour qu'il m'a joué, les servantes elles-mêmes qui m'ont vue ne pas quitter la chambre croient que c'est moi qui suis allée transgresser l'interdit, selon ce que l'ordre des choses prescrit. Elles me regardent assise devant l'écritoire et pensent que je suis en bas, dans la prison, gémissante de terreur.

– Pars tout de suite, me dit la nourrice. Des chevaux t'attendent aux portes de la ville, si tu te hâtes tu seras au pied des montagnes avant le jour.

– Et ensuite ?

Elle ne sait que dire. Penser sur le destin d'une princesse n'est pas dans les fonctions d'une nourrice.

Elle a imaginé ma fuite, elle peut réfléchir aux moyens de me faire échapper à la mort, mais penser à ma vie n'appartient qu'à moi. Je suis très jeune : peut-être les années passent et effacent les souvenirs ? Un âge viendrait où je ne saurais plus qui j'ai été, je ne me souviendrai plus des orbites saignantes ni des nuits glacées. Le regard indifférent de ma mère disparaîtrait de ma mémoire, je perdrais la trace d'Étéocle avançant joyeux vers la mort et la puanteur que le cadavre répand sur toute la ville ne m'offenserait plus les narines. Je vieillirais lentement, anonyme à moi-même. Je marcherais, le soir, dans un jardin tranquille et j'aurais un sommeil sans rêves. Mais cela aussi est la mort. Il ne fallait pas être Antigone, je ne peux pas guérir de ma naissance. Je suis la fille de deux crimes : le père a tué le fils et le fils a tué le père. Je jure qu'aucun dévouement ne m'anime, je ne me sacrifie pas à mes frères et je n'ai pas suivi Œdipe de mon plein gré, mais la nuit emporte mon serment, il se dissipera aux premières lueurs de l'aube. Et, comme a fait Jocaste avant de mourir, je me regarde dans le miroir. Je suis pâle, j'ai l'air fatigué. A-t-on souvent ce regard de vieille à mon âge ? Pourquoi vivrais-je ? J'ai déjà la mort inscrite dans l'âme.

Les servantes cherchent de nouveau à capter mon attention. Elles m'ennuient, j'ai autre chose à faire que les écouter, j'ai à me quitter, c'est tout un travail. Mais j'ai tellement l'habitude de traiter les domestiques avec courtoisie que je les interroge. Ismène est allée se jeter aux pieds de Créon en jurant qu'elle était avec moi, et Créon lui a promis

la mort qu'elle réclame. J'allais l'oublier, celle-là !
Elle n'aura donc pas manqué une sottise ! Mais tout
sera complet : avec un peu de chance, la femme de
Créon ne survivra pas à son fils. À l'aube, le sang
coulera partout. Thèbes sera noyée.

Tout s'achève, ah ! tout s'achève ! Déjà le ciel
s'éclaircit à l'est. C'est donc pour cela que j'étais
née ? Les cris de l'accouchement, la sueur qui
trempe les draps, le déchirement effroyable du
corps, les spasmes, la peur : au loin le soleil va
paraître et quand il se couchera à l'autre bout de
l'horizon, le dernier sang de la lignée aura été
répandu.

Je voudrais mourir en jetant de terribles impré-
cations, mais je n'ai pas l'âme lyrique. Je veux
maudire les dieux, comment maudire avec grandeur
ce en quoi je ne crois pas ? Je veux traîner mon
père dans la fange, dénoncer le crime initial, celui
de Laïos, faire trembler les Thébains pendant sept
générations, mais je ne crois pas au pouvoir de la
malédiction. Que la peste vous décime, que vos
troupeaux meurent, que du pus sorte de vos sources,
que la fièvre aphteuse dévore vos bouches qui n'ont
jamais dit que des sottises et que les flancs des
femmes restent aussi stériles que les miens jusqu'à
l'extinction de votre race stupide ! Je hais leur descendance et je suis victime de mon incrédulité qui
dessèche ma parole. Il n'y a pas de vengeance pour
une fille comme moi, il ne restera pas trace de ma
colère et je ne pourrai pas lutter contre la légende
qui me prend vive dans son piège. Les mâchoires
se referment sur moi, je suis déjà dévorée que je

crie encore et personne ne veut m'entendre. Le monde où j'ai vécu n'aime pas la vérité, je sais qu'on détruira ces lignes au nom de l'honneur et le mensonge de Créon me survivra. Antigone meurt tout entière. Je n'ai jamais eu de défenseur, ni ma mère qui se moquait bien de moi, ni Œdipe goulu de son propre destin, ni mes frères qui ont essayé de vivre pour leur compte et le pauvre Hémon a juré de se tuer sur mon cadavre mais pas de me sauver. Je lui ai dit :

– Tue ton père et je me donne à toi.

Il a reculé épouvanté et j'ai ri en mesurant les étroites frontières de son amour. Ma rage ne traversera pas les siècles, seul le mensonge va me survivre. Je meurs légende. Je n'aurai été que fille et sœur, Hémon n'osera approcher mon corps que roide et glacé. Je l'ai tenté comme j'ai pu :

– Viole-moi, on dit que parfois cela réveille les femmes.

Non, il ne veut se coucher sur moi que pour mourir.

Je ne laisserai pas tuer cette petite femme qui me ressemble. Je me suis fait apporter ma plus belle robe : elle est de lin blanc, brodée de fils d'or. Je mettrai les bijoux les plus précieux, le collier de ma mère et la ceinture d'émeraudes. La nourrice me coiffera avec tout son art, heureuse que pour une fois je me laisse embellir. Et j'irai à la salle du trône : les gardes stupéfaits qui me croient en prison s'écarteront devant moi. Je serai très belle : la peur de la mort me parera certes aussi bien que la colère à Colone. Il faudra marcher lentement, en me tenant très droite et regarder Créon dans les yeux. Je sais bien qu'il triomphera, mais moi aussi car je serai en train de tuer le dernier des enfants de l'inceste. Jocaste qui n'avait pas défendu Œdipe contre son père verra, du fond des Enfers, périr le dernier fruit de ses flancs, et peut-être mon père sera-t-il soulagé qu'il n'y ai pas de descendance...

II

En vérité, je vous le dis

Je ne peux plus le supporter. Voilà deux mille ans qu'on accumule les bêtises à mon sujet, il faut que je rompe le silence. Je ne disais jamais rien car je me rendais bien compte que, dans cette histoire, je ne suis qu'un comparse et que si le petit – enfin ! le petit ! il a tout de même vécu jusqu'à trente-trois ans, mais vous savez comment sont les mères ! –, que si mon fils ne rectifiait jamais, il valait mieux le laisser faire, il a toujours été tellement désagréable avec moi. Mais il exagère, et il laisse ses représentants se servir de moi d'une façon qui m'offusque : je suis l'exemple, le parangon et le modèle, on m'a promenée devant le nez de cent générations de femmes pour les tenir coites, en me taisant je me rends compte que je me fais la complice des maîtres. Ce siècle-ci est ardent casseur de tabous, il est grand temps que je refasse quelques apparitions et que je rétablisse la vérité. Je compte sur vous pour la transmettre telle que je vous la dis. C'est que cela tourne au vaudeville ! Je sais à quel point il s'entendait mal avec Joseph, mais de là à prétendre qu'il n'était pas son fils, il y a une distance que je n'aurais jamais dû le laisser franchir. Cela a provoqué les ragots les plus insensés, on a dit que j'avais été la maîtresse d'un soldat romain, un certain Pandera, ou Panthera, on ne savait pas bien, et même que le petit était né d'un inceste avec un frère que j'aurais eu, alors que ma mère n'a fait que des filles ! Ma cousine Sarah dit qu'il croyait vraiment à cette histoire, je pense que c'est pure indulgence de sa part ou bien qu'il l'a tellement séduite qu'elle reste prête à lui trouver des excuses. Il faut bien avouer qu'il était irrésistible : j'en donne la preuve en ayant attendu si longtemps.

La première chose à établir, c'est qu'il est vrai que j'étais, techniquement, vierge à sa naissance, mais il faut savoir comment. Quand mon père décida que j'épouserais Joseph, j'avais tout juste quinze ans et j'étais jolie comme un cœur : un teint laiteux que ma mère, Anne, m'avait appris à préserver du soleil, de superbes cheveux noirs très bouclés, un narcisse de Saron, le lys des vallées, et une dot agréable pour les épouseurs, qui ne manquaient pas. Mais Papa ne voulut que les descendants de David. En Galilée, cette famille-là avait gardé tout son prestige, même après la ruine, et mon père était ébloui par une si noble alliance. Moi, je n'avais pas été élevée dans l'idée que je pourrais choisir mon époux, j'étais contente que le fiancé fût jeune et de bonne tournure, et surtout enchantée qu'on ne me fît pas trop attendre car j'avais le sang chaud comme toutes les filles de la famille, ce que ma mère savait fort bien. Qui nous surveillait de près. Quand les pères se furent mis d'accord, elle nous laissa nous promener au fond du jardin, le soir, parmi les ronces où Joseph me culbutait à la hâte, ce que j'endurais sans me soucier des égratignures. Mais il était trop nerveux. Il me regardait goulûment, entrait en ébullition et se précipitait caracolant, j'étais la plus soumise des fiancées : à peine l'extrémité de son enthousiasme effleurait-elle mon innocence que l'excès d'émotion le liquéfiait. Techniquement, je restais donc vierge et, quand mes règles ne vinrent pas, l'idée d'être enceinte ne me traversa pas l'esprit. Ma mère me signala d'un ton acide que mes seins avaient grossi.

– Qu'as-tu fait avec Joseph ?

Une question d'autant plus perfide que c'était une femme pudibonde et que je ne pouvais pas envisager une réponse sincère.

– Mon Dieu, Maman, ce que font les fiancés !

Elle avança les noces d'un mois. Je mangeais deux fois plus que d'habitude et je vis mon ventre s'arrondir.

– Marie est enceinte, dit ma mère à Joseph.

Qui rougit, bafouilla et se sentit d'autant plus gêné que son émotivité l'humiliait.

Ce qui fait que mon fils est bien un descendant de David. C'est Maman, cet ange de pudeur, qui en a annoncé la venue à Joseph et, si j'étais effectivement grosse au moment du mariage, le petit devait tous ses chromosomes à mon mari et pas à l'Éternel. Je sais bien que Joseph descendait en droite ligne d'Adam, ce qui nous fait remonter à la nuit des temps, mais pas à la poussière, comme la science moderne, à quoi je suis très attentive, l'a clairement établi.

Hélas, le mariage n'arrangea pas la nervosité de Joseph. Si ardent qu'il fût, il pliait toujours devant les barrières. L'inquiétude me gagna : comment fait-on pour accoucher quand la voie n'est pas ouverte ? Je serais bien passée outre la pudibonderie de ma mère, mais en la questionnant, j'aurais nourri ses préjugés contre Joseph : elle détestait cette lignée de David dans laquelle mon père avait été si pressé de me jeter, on y avait vu trop de choses inconvenantes. À la rigueur, elle ne leur en voulait pas pour la captivité en Égypte ou la déportation à Babylone, c'étaient là des affaires de politique internationale où elle consentait qu'Israël avait été la victime des circonstances – et encore ! où l'Éternel avait-il la tête ! –, mais elle était aussi choquée par les filles de Noé couchant avec leur père que si elles avaient été nos voisines, l'inceste des enfants d'Adam, les amours d'Abraham, pour elle tout cela était d'hier et l'affaire d'Isaac lui faisait monter le rouge de la colère aux joues. Elle soupçonnait ce pauvre Joseph de la même docilité et le voyait offrant son fils en sacrifice au Seigneur, elle en avait les sangs retournés. Ma foi, si elle se trompa sur Joseph, elle augura très justement l'Éternel qui prétendit être le père de mon enfant et le traita encore plus mal qu'il n'avait fait celui d'Abraham. Il est certain que c'est un Dieu sanguinaire et capricieux, qui donne et retire sa faveur comme une fille coquette, on a tout intérêt à ne pas attirer son attention et, pour notre malheur, il n'a jamais perdu de vue la descendance de David. Du moins, on le prétend. Il y a deux mille ans que je suis brouillée avec lui et sans le petit, qui a quand même gardé un certain esprit de famille, je ne sais pas ce qu'il m'aurait fait.

Tout cela ne serait pas arrivé si je n'avais pas été une fille bien élevée qui écoute son père.

Chaque soir, Joseph me sautait dessus et ratait l'atterrissage, après quoi il me priait interminablement de l'excuser, ce qui devenait de plus en plus difficile car une humeur acariâtre remplaçait peu à peu mon goût naturel pour les choses de l'amour. Je me vis devenant aussi désagréable avec mon mari que ma mère avec le sien et fus fort contente quand notre parente Élizabeth, enfin enceinte, et qui craignait la fausse couche, me réclama auprès d'elle. J'aimais bien Élizabeth et je n'ai jamais compris pourquoi : elle était mystique à la folie, aussi pudibonde que ma mère, mais tendre et chaleureuse alors qu'Anne se consacrait tellement à la terreur de voir ses filles enceintes sans qu'on sût qui était le père qu'elle les surveillait constamment et ne les écoutait jamais. Élizabeth habitait en Judée, c'était tout un petit voyage que d'aller là-bas.

– Je t'accompagne, me dit Joseph.

Ah non ! Je voulais m'endormir sans avoir à calmer mes déceptions par de grands efforts de patience.

– Il n'en est pas question ! Tu as du retard dans ton travail.

Je fis la route avec un marchand et sa femme qui prenaient grand soin de moi car ma grossesse était quand même assez avancée.

J'espérais pouvoir me confier à Élizabeth et je fus affreusement déçue de la trouver plus folle que jamais. Dès qu'elle me vit, elle se jeta dans mes bras en sanglotant. Je crus qu'elle avait déjà perdu l'enfant et je m'apprêtais à la consoler, mais il n'était pas question de cela : elle avait vu des anges en rêve, l'avenir lui était apparu, un destin terrible attendait nos fils et c'était une faveur insigne que d'avoir été choisies pour les porter. Elle me noya dans un déluge de paroles, me trempa de ses larmes, j'en avais des contractions prématurées et lançai des regards éperdus à Zacharie qui était, certes, aussi pieux que sa femme, mais sans y mettre autant d'exaltation.

– Laisse donc la petite s'asseoir. Ne vois-tu pas qu'elle est fatiguée et qu'elle a soif ?

Je n'étais pas fatiguée du tout, mais fort contente d'échapper à l'étreinte nerveuse de ma cousine.

– Et toi aussi, l'ange me l'a dit, tu portes un fruit béni, il est fils de Dieu lui-même.

– Il est fils de Joseph, dis-je avec fermeté en me servant d'eau fraîche, et à travers lui de vingt rois juifs qui descendent d'Adam, mais il ne faut rien exagérer, c'est quand même une parentèle éloignée.

– Tu ne comprends pas, me dit Élizabeth. C'est l'Éternel lui-même qui t'a ensemencée. Moi, il m'a donné la fécondité, alors que j'ai toujours été stérile et que j'approche de la ménopause, mais toi, tu as été choisie pour porter le nouveau roi des Juifs. Tu es bénie, ton ventre est béni, ton enfant...

Ses yeux brillaient trop fort, sa voix devenait aiguë, elle levait les bras au ciel, je vis qu'elle commençait sa crise et Zacharie, avec un long soupir de regret, lui administra les deux vastes taloches qui avaient le pouvoir de la calmer.

– N'empêche, dit-elle. L'ange, je l'ai bien vu.

Nous tentions toujours de ne pas laisser les délires d'Élizabeth sortir de la famille mais, comme vous avez pu vous en rendre compte, nous n'y arrivions pas.

Je ne suis pas restée trois mois, comme Luc l'a prétendu, car ma présence énervait terriblement la pauvre Élizabeth qui ne pouvait pas passer dix minutes avec moi sans entamer une crise de nerfs. En fin de journée, elle avait les joues gonflées à force de gifles thérapeutiques et Zacharie m'expliqua qu'il m'aimait beaucoup, que tout le monde m'aimait beaucoup, que j'étais une fille charmante, mais que. Je fus très soulagée de pouvoir partir sans vexer personne.

Où aller? Je me rendis compte que je ne pouvais pas supporter l'idée de retourner à Nazareth, où m'attendaient les élans de Joseph, et je me sentis fort désemparée. Zacharie, qui était un homme tendre et attentif, me vit changer d'humeur et crut qu'il m'avait blessée. Il commença des excuses et des explications et voilà que j'éclatai en sanglots.

Il faut se rappeler que j'étais encore bien jeune. D'où je vous parle, j'ai plus de deux mille ans, j'ai eu le temps d'accumuler de la sagesse et de la pondération, mais là je me voyais mariée pour la vie avec un homme que je ne demandais qu'à aimer et qui me rendait la chose impossible. J'avouai tout à mon bon cousin. De sorte que je suis sûre que c'est Élizabeth qui a répandu ces ragots sur la non-consommation de mon mariage. Je n'ai jamais raconté la vérité qu'à Zacharie ; il a dû, en époux tendre, mais bavard, lui répéter chaque détail.

– Va à Bethléem chez la cousine Sarah, me dit-il. On prépare le mariage du plus jeune frère de Joseph, il te rejoindra là-bas, mais cela te donnera un peu plus de temps. Je lui enverrai quelqu'un pour le prévenir que tu t'y rends directement : d'ici qu'il te rejoigne, tu seras proche de tes couches et il se calmera.

Ainsi, vous voyez que cette histoire de grand recensement ordonné par César Auguste était pure invention. Et cette idée que chacun devait aller dans la ville de sa famille ! Vous voyez les gens courant de droite et de gauche à travers la Palestine en plein hiver ! Mais Luc voulait tout dramatiser, et l'idée que nous étions à Bethléem pour une fête de mariage ne lui plaisait sans doute pas.

Je fis la route bien tranquillement, par petites étapes agréables. Zacharie m'avait donné pour compagne Abigaïl, une servante de caractère aimable, ni trop bavarde ni trop silencieuse, qui avait eu plusieurs enfants et ne semblait pas pudibonde. Je l'interrogeai à plusieurs reprises sur l'accouchement, mais comment lui poser la question qui me tracassait ? Vous autres, femmes du XXe siècle, vous ne mesurez pas votre bonheur : vous allez chez un gynécologue, il explique tout et il est tenu au secret professionnel. Je ne voulais absolument pas révéler l'excessive promptitude de Joseph : là rien n'a changé, la clabauderie raffolait déjà des affaires de lit et je trouve qu'une femme est toujours écla-boussée par le ridicule qu'on jette sur son mari. Abigaïl me dit que, bien sûr!, il est prescrit d'en-fanter dans la douleur et qu'une future mère res-pectueuse de la loi se doit de pousser de grands cris, mais qu'en vérité l'usage est d'exagérer, et qu'à condition de ne pas se crisper, les choses sont bien plus supportables qu'il n'y paraît. Ce qui était certes réconfortant, mais ne jetait aucune lumière sur la zone précise de mon inquiétude.

Nous entrions dans les faubourgs de Bethléem, c'était le soir, il faisait assez froid et je me sentais un peu fatiguée quoique nous n'eussions pas mar-ché plus que les autres jours, quand je reconnus dans un passant agité Joseph qui faisait les cent pas sur le bas-côté de la route : je crois qu'il avait couru sans s'arrêter depuis Nazareth ! Je dus avoir l'air très contrarié car au moment où il s'élançait vers moi, Abigaïl pensa qu'on m'attaquait et se précipita pour me défendre.

– Laisse, c'est mon mari, dis-je.

Elle resta stupéfaite.

J'étais furieuse et je fis un grand effort pour me contenir. Je crois que c'est l'excès de ma mauvaise humeur qui, alors que Joseph penché par-dessus mon ventre allait m'embrasser, déclencha brusque-ment une formidable contraction. Je me pliai en deux en poussant un grand cri et un flot d'eau se répandit sur le sol.

– Mais tu accouches ! s'exclama Abigaïl.

– Et l'auberge est pleine ! J'ai essayé d'y avoir une chambre pour t'attendre, avec le monde qui arrive ici pour le mariage on n'y trouve plus un lit qui soit libre !

– Tant pis. Il faut la loger quelque part.

Elle regarda autour de nous et vit une grange.

– Là. Tu seras aussi à l'aise sur du foin bien propre que sur une douteuse paillasse qui, si ça se trouve, serait pleine de vermine.

Elle s'y précipita. Le temps que Joseph me soulève et m'emporte effrayée et tremblante, elle avait jeté son châle et le mien sur un tas de paille fraîche et elle courait à l'auberge chercher de l'eau.

– J'ai demandé s'il y avait une sage-femme, mais elles sont toutes occupées. Il faudra te contenter de moi. Ne crains rien, j'en sais autant qu'une autre et tout se passera bien.

Dans le vaste tumulte où je fus ensuite jetée, j'oubliai complètement l'hymen qui se déchira comme il put et je mis au monde ce superbe bébé blond que vous savez. Joseph pleura de bonheur quand Abigaïl lui donna à tenir et j'allais protester qu'il était à moi, que sa place était dans mes bras, quand les douleurs reprirent.

– Mais il n'y en a pas deux, quand même !

Elle me rassura en riant. Voyez-vous, parmi les nombreuses questions que je lui avais posées, je n'avais jamais rien dit qui la fît me parler de l'arrière-faix, maintenant vous nommez cela le placenta, je pensais que quand l'enfant est sorti tout est dit, et j'étais indignée d'avoir à recommencer. Et pour quoi, je vous jure !, un vilain paquet tout gluant qu'elle me dissimula aussi bien qu'elle put et alla enterrer dans la cour, mais qui me fit aussi mal en passant que mon fils lui-même.

Enfin, ce fut fini. Abigaïl trouva un grand drap bien propre dans le bagage de Joseph, c'était le cadeau de ma mère pour mes couches, elle ôta les châles salis et s'occupa de les laver. J'étais très fatiguée, mais trop énervée pour m'endormir, je ne pouvais pas quitter le petit des yeux. Il était beau comme un chérubin, pas rouge du tout pour un nouveau-né, il avait l'air grave et pensif, un véritable enfant de lignée royale.

Hé oui ! de lignée royale, il ne faut pas l'oublier ! Matthieu a peut-être un peu forcé sur la précision – ce devait être par goût de la symétrie – avec ses trois fois quatorze générations depuis Abraham, mais vous n'ignorez pas que David était roi d'Israël et de Juda et que sa descendance a régné deux cents ans. Sans Babylone, les Perses et, pis que tout, les Romains, ce petit-là, qui venait de naître sur un tas de paille, aurait été l'héritier d'un trône et la fierté d'un peuple et le titre de roi des Juifs qu'on lui mit sur une pancarte par dérision, il y avait droit ! Archelaüs, ce débauché, le savait bien, qui faisait surveiller la famille et s'alarma quand on lui dit que Joseph, l'aîné, venait d'avoir un fils. Bien entendu, c'était folie de sa part que de nous craindre, mais ils étaient tous fous dans cette famille-là, perpétuellement occupés à s'entre-tuer, conspirant, maniaques, pour le pouvoir politique qu'un Juif respectueux de la Loi se doit de mépriser. Je vois que cette idée vous étonne, ce que je comprends bien quand je pense à ce qui se passe aujourd'hui, il faut vous rendre compte que je suis une femme du passé, moi, et que j'étais une fille de la campagne, élevée dans une famille pieuse et modérée qui tenait que l'Éternel, quand il a dicté ses exigences à Moïse, n'a pas dit qu'Israël devait fonder un empire mais qu'il devait adorer son Créateur. Oh ! je sais ! il y a des ambiguïtés dans le Deutéronome, sur lesquelles nos conquérants ont toujours pu s'appuyer, Dieu promet les pays où coulent le lait et le miel si on se conduit comme il l'a prescrit, or il faut se battre pour les posséder ; ce qui fait qu'il y a toujours eu au moins deux partis parmi nous et les hommes de piété, qui allaient clamant que si l'on observe scrupuleusement la Loi et les Commandements tout ira bien, avaient beau jeu de dire que si tout allait mal depuis des siècles, c'est que le Seigneur n'avait pas été correctement obéi. Ma famille était de cette tendance, sans l'extrémisme propre aux pharisiens, ces puritains ivres de pénitence. Zacharie et Élizabeth choquaient un peu, mais comme ils s'attachaient à rester discrets et ne faisaient pas de politique, on restait indulgent à leur égard. Chez Joseph on pensait, forcément, que seul le pouvoir séculier peut assurer l'avenir du peuple, avec cette restriction que le premier devoir d'un Davidide est de prévoir une descendance pour le moment où il plairait à l'Éternel d'envoyer son messager, donc de ne pas se mêler de la vie publique : on y racontait avec des tremblements dans la voix la fin terrible de Sédécias condamné par Nabuchodonosor à regarder égorger ses fils avant qu'on lui crève les yeux, puis emmené chargé de chaînes mourir à Babylone. Si un des enfants n'avait pas été soustrait au monstre assyrien par une nourrice avisée, la race de David s'éteignait. La modération de ma famille et la prudence des Davidides s'accordaient évidemment très bien.

Ne croyez pas que je m'égare ou que, emportée par le feu des souvenirs, j'oublie mon récit ; je veux vous faire comprendre dans quelle atmosphère nous vivions : d'un côté les pharisiens, qui avaient détesté Hérode et détestaient ses fils qu'ils accusaient à juste titre de débauche, de corruption et de complicité avec Rome ; de l'autre les Sadducéens, partisans du roi, qui vivaient dans l'opulence, ridiculisaient l'austérité des traditionnalistes et excitaient de leur mieux la paranoïa naturelle aux dictateurs. Entre les deux, la masse du peuple qui tentait, comme elle pouvait, de survivre au jour le jour en rêvant d'un Messie qui instaurerait le Royaume de Dieu dans cette vallée de larmes. Enfin, la même chose que dans tous les siècles !

De sorte que, quand on vint avertir Archelaüs qu'il était né un nouvel enfant dans la famille de David, il s'alarma et envoya ses gens. Il n'aimait pas du tout ces histoires de Messie. Je pense qu'il était, fondamentalement, aussi incroyant que cela se pouvait dans ces temps où l'on n'avait pas encore inventé l'athéisme.

Ils arrivèrent à trois. Ce n'étaient ni des mages, comme l'a dit Matthieu, ni des bergers comme l'a cru ce naïf de Luc, mais des espions, et là je vis qui était Joseph.

Ils avaient des présents, cela est vrai, mais ni or ni encens : du lait et du miel, selon la meilleure tradition, et quelques belles étoffes dont le roi attendait sans doute qu'elles corrompissent d'un seul coup une petite personne de province comme moi.

– Elles te plaisent ? me demanda Joseph.

Hélas ! votre époque ne sait pas ce qu'est une belle étoffe ! La soie la plus noble, chatoyante et vigoureuse, qui tombait en plis généreux d'un bleu superbe, la couleur qui allait le mieux à mon teint de lait !

– C'est à toi d'en décider, dis-je modestement.

– Je voudrais bien savoir, messieurs, ce qui nous vaut de si beaux présents ?

– Rien n'est trop beau pour la mère du fils de David.

– Le roi est trop bon.

Comme ils n'avaient pas dit qu'ils étaient envoyés par le roi, ils eurent l'air fort mal à l'aise. Ils se reprirent vaillamment :

– Par discrétion, il ne voulait pas être connu comme le donateur.

– C'est tout à sa louange.

Joseph se tourna vers Abigaïl :

– Qu'on serve à boire et à manger. Je veux que ces messieurs soient reçus conformément à leur rang. Et fais appeler mon père, il voudra certainement participer à la fête.

Nous étions dans la maison de Sarah car, avec les nombreux frères et sœurs de Joseph venus pour le mariage, la maison de Jacob était aussi remplie que l'auberge. En dix minutes, ce fut la cohue et le petit, qui n'avait jamais vu tant de monde, se mit à pleurer. Sarah en profita pour me l'ôter des bras sous prétexte de l'emmener au calme, car elle l'adorait et faisait tous ses caprices.

– Je ne me doutais pas que le fils d'Hérode fût si attaché à la race de David. Croiriez-vous, messieurs, que dans ces provinces ignorantes, on prétend qu'il est à la solde de Rome ?

Les envoyés bafouillèrent.

– Votre visite et ces présents prouvent que ce sont des calomnies. Vous serez donc en sécurité chez nous.

Les frères et beaux-frères nous entouraient, cela faisait sept grands gaillards, souriants mais qui avaient tous le couteau au côté. Les envoyés se mirent à décrire la grande piété du roi, sa fidélité au culte, le souci dont il entourait le Temple. On but jusque tard dans la nuit. Le petit avait fini par s'endormir dans mes bras.

– Savez-vous qu'il y a des prophéties ? lâcha un des envoyés quand il fut bien ivre. Il est question d'un Messie qui libérera Israël, et qui serait le dernier-né dans la maison de David.

– Messieurs, je vous conseille, quand vous aurez dormi, d'aller vers les montagnes et de ne jamais retourner à Jérusalem, où j'ai beaucoup de cousins, leur dit Joseph.

Ce qu'ils firent.

On en riait encore deux jours plus tard, pendant la cérémonie de la circoncision, mais peu avant mes relevailles, il arriva de mauvaises nouvelles :

– Le roi est furieux. Il envoie des émissaires dans les provinces pour retrouver ses envoyés et dit que leur disparition prouve qu'il y a un complot. Il a averti ses frères, il est question de tuer toute la maison de David. Il faut que vous partiez, et vous ne serez en sûreté ni en Galilée ni en Judée.

– Je ne vois que l'Égypte, dit Joseph. Nous y avons des cousins.

Bien sûr, nous avons toujours eu des cousins partout.

– Nous partirons demain.

La paternité l'avait changé. Je ne reconnaissais pas le jeune homme trop pétulant qui me défaillait tous les soirs entre les bras : il calculait les étapes du voyage, régissait l'organisation d'un bagage léger, choisissait avec soin nos montures dans l'écurie. J'étais charmée. Je voyais enfin l'époux qu'on m'avait promis, sagace, habile et décidé, mais il restait une épreuve à passer : ce soir-là, la période d'abstinence pouvait se terminer. Je fis le lit avec grand soin, mis le petit à l'écart, bien au chaud à l'autre bout de la pièce, et me couchai perplexe, partagée entre l'agrément de retrouver le corps ferme de mon mari et la crainte de la déception. Joseph me rejoignit encore tout animé par les préparatifs, il me décrivait l'étape du lendemain, je vis qu'il me prenait dans ses bras comme sans y penser. Cela me sembla de si bon augure qu'en un rien de temps j'avais oublié mes craintes et tout se passa enfin comme il se devait, de sorte que je me mis à être fort contente – et le petit à hurler de fureur.

– Laisse, me dit Joseph, il faudra qu'il s'habitue.

Mais il ne s'habitua jamais.

Heureusement qu'Abigaïl nous accompagnait : les cris de l'enfant succédant aux précipitations de Joseph, ma vie conjugale eût été une catastrophe. Dès que mon époux m'approchait, mon fils entrait en rage et je le portais dans la chambre où dormait cette excellente servante. Comme il l'avait à soi tout seul, il se calmait immédiatement. J'ai toujours pensé qu'il y avait une relation entre cette humeur jalouse et le fait qu'il n'ait jamais démenti la légende de ma virginité.

Au matin, la famille rassemblée nous regarda partir : l'Égypte était évidemment une destination émouvante pour nous. Nous voyageâmes sous des noms d'emprunt, sans nous hâter, en nous attardant parfois chez l'un ou l'autre cousin. Je vous décrirais bien le plaisir que je pris à découvrir des pays inconnus, des mœurs nouvelles, mais je m'écarterais indûment de ce qui vous intéresse. Je n'avais pas encore vu grand-chose et j'étais fort curieuse. L'aventure m'enchantait. Tout ce qu'on a inventé sur moi m'énerve à l'extrême : on me montre en martyre, accouchant misérable parmi la bouse de vache, comme si mon mari avait été incapable de veiller sur mon bien-être !, et regardant les yeux pleins de larmes l'enfant que je tenais dans les bras. Il faut tout de même se rendre compte que c'est trente ans plus tard que le drame a eu lieu, et qu'à ce moment-ci, j'avais seize ans, l'enfant le plus joli du monde et un époux très amoureux.

Nous nous fixâmes dans les faubourgs d'Éléphantine. Joseph monta une petite entreprise qui marcha très bien car il était excellent ébéniste – non ! pas charpentier, comme on l'a prétendu, dans cette manie de rendre notre histoire encore plus pathétique qu'elle n'a été, comme si la réalité ne suffisait pas. J'eus bientôt trois de mes autres fils, que Matthieu mentionne sans les nommer – Marc est plus correct à leur égard – Jacques, Josès et Jude, mais ils se suivirent de trop près et la naissance de Jude me laissa terriblement affaiblie, si bien qu'Abigaïl m'enseigna comment une femme rationalise sa fécondité avec un sabot percé d'une paille. La recette ne s'est pas perdue ; il y a quelques décennies j'ai lu avec intérêt dans Jules Renard, un de vos meilleurs auteurs, qu'elle était encore en usage dans les provinces françaises. Mais vous ne la connaissez certainement pas : qu'en feriez-vous ? Les choses se sont si merveilleusement améliorées pour les jeunes femmes. J'ai suivi cela avec la plus grande attention car vous pensez bien que, en ayant l'éternité devant moi, je ne suis pas restée la petite paysanne ignorante de Galilée. Lors de mon mariage, à peine si je savais lire. Je me perfectionnai beaucoup après la naissance de Jude, quand je dus tellement me reposer que, sans la lecture, j'aurais péri d'ennui. Je me pris pour la poésie d'un goût qui ne m'a jamais quittée, malgré les innombrables poèmes stupides qu'on a écrits à ma louange. J'y suis, l'avez-vous remarqué ?, toujours louée pour les qualités les plus affligeantes : la simplicité d'âme, la résignation, l'esprit de sacrifice, j'en passe car je deviendrais grognon et vous m'écoutez trop attentivement pour que je vous inflige une mauvaise humeur millénaire.

En Palestine, la vie restait difficile. Certes, Rome avait tranché entre Archélaüs, Antipas et Philippe, elle fit respecter le testament d'Hérode, mais les trois frères continuaient à se haïr et à conspirer les uns contre les autres. Le petit avait six ans quand nous apprîmes qu'Archélaüs avait suffisamment exaspéré Auguste pour se faire exiler en Gaule. Antipas, apaisé par son triomphe, semblait ne plus beaucoup se soucier des Davidides. L'envie de rentrer qui ne nous avait jamais quittés en fut renforcée. Joseph hésitait, on disait que l'occupation romaine continuait à être fort brutale, mais je voyais bien que le mal du pays le taraudait.

– Bah ! lui disais-je alors, il suffit de ne pas se mêler de politique, comme il est d'usage depuis longtemps dans ta famille.

Il est certain que j'aurais mieux fait de l'encourager à rester !

Il vendit donc son atelier et nous prîmes le chemin du retour. Les enfants n'étaient pas très contents, surtout l'aîné qui parlait mieux le patois égyptien que l'araméen. Il perdait sa maison, ses amis et ses habitudes : il est évident que nous étions si impatients de rentrer, Joseph, Abigaïl et moi, que nous n'avons pas mesuré l'importance de la privation que nous lui imposions. Nous aurions dû être plus attentifs, c'est sûr, mais vous savez comme il est facile de se rendre compte de ses erreurs après coup. Je voyais bien que Jacques, Josès et Jude étaient des enfants plus faciles et plus ouverts que lui, et pour autant que je m'en disse quelque chose, c'était que son caractère s'améliorerait avec l'âge, ce qui est une grande sottise. Mais j'étais comme tout le monde : tenace au bonheur et rétive aux soucis.

Je goûtai pleinement le plaisir de retrouver ma maison, mes amis, je rendis visite à Sarah, qui tomba en extase devant la beauté du petit. Elle regarda à peine ses frères, ce qui me déplut tellement que je faillis me disputer avec elle. Joseph me retint, et fort à point car je me rendis bientôt compte que c'était partout pareil : on ne voyait que lui. C'était un enfant discret, parfois boudeur, souvent renfermé, mais qui avait tant de grâce qu'il charmait tous ceux qui le croisaient. Je me souviens de lui, assis sur un muret, rêveur, avec ses cheveux bouclés toujours en désordre, son teint brun d'enfant qui vit au soleil, les yeux dans le vague, et le regret me serre le cœur. J'allais vers lui, je voulais le prendre dans mes bras, le couvrir de baisers comme je faisais avec mes autres fils, il se dérobait et je ne pouvais jamais satisfaire mon appétit de tendresse. On ne s'habitue pas. Il avait quinze ans que j'avais encore le creux des mains qui faisait mal de tant de caresses refusées.

Nous allâmes rendre visite à Élizabeth et Zacharie. Je fus étonnée de voir le petit se lier très promptement de grande amitié avec leur fils, Jean. Je laissai faire, bien sûr ! Comment imaginer que ce garçon calme et grave pût avoir une influence néfaste sur quiconque ? On les voyait bavarder pendant des heures à l'ombre des oliviers, Élizabeth attendrie se félicitait de leur sagesse et moi, qui devais sans cesse surveiller mes trois autres garçons pour les empêcher de faire des bêtises, j'étais bien aise d'en avoir un qui fût de nature tranquille.

Après la naissance de son fils, ma cousine s'était fort calmée, au grand soulagement de Zacharie qui savait que les femmes aux nerfs fragiles perdent parfois tout à fait la tête après un accouchement, et qui avait craint le pire. Elle était redevenue simplement pieuse, sans donner dans les excès des pharisiens, ce qui, dans le contexte politique, marquait une rare modération. Les Romains étaient insupportables. Certes, ils n'essayaient plus d'introduire le culte de leur empereur dans le Temple, cela avait provoqué des soulèvements, mais ils levaient des impôts ruineux et nous étions dans la situation de payer l'occupation aux occupants, ce qui ne peut qu'enrager les occupés. Les insurrections se succédaient, plus ou moins importantes, il était parfois bien difficile de résister au désir de s'y engager. Quelques décennies plus tôt, les Macchabées avaient réussi leur révolte et reconstitué le royaume d'Israël : il y eut des gens assez fous pour ne pas mesurer la puissance de Rome, qui régnait sur l'univers connu, et imaginer qu'on pourrait les chasser comme on avait fait des petits Séleucides. Parfois des conspirateurs venaient tenter de gagner Joseph à leur cause :

– L'Éternel a donné la Palestine à Israël, c'est lui être infidèle que tolérer le règne de Rome, disaient-ils à mon mari qui regardait ses fils jouer dans le jardin en se demandant comment retenir ces insensés de mettre le pays à feu et à sang.

Il voyait l'avenir avec bon sens : nous étions juifs dans un monde qui adorait cent dieux, cela faisait de nous des gens à part, il était sûr que nous resterions tels. Mais nous n'avions aucune capacité politique, nous ne parvenions jamais à nous unir autour d'une même idée à cause de notre passion pour la controverse, il fallait abandonner toute rêverie nationaliste. Sans doute n'a-t-il plus raison aujourd'hui : n'empêche ! il a eu raison pendant dix-neuf siècles !

Hors ces visites intempestives et le caractère particulier du petit, j'étais fort heureuse. Mon grand chagrin fut la mort d'Abigaïl emportée en quelques mois par un de ces maux que personne, à l'époque, ne pouvait diagnostiquer, de sorte que les pharisiens en faisaient aussitôt des punitions du Seigneur. Punie de quoi, mon Dieu !, la pauvre ? Je pense que c'était un cancer du foie et j'en discute parfois avec elle, qui s'est aussi beaucoup instruite et qui penche plutôt pour une maladie dégénérative. Les médecins du XXe siècle avec qui nous devisons de ces choses disent que, de toute façon, sans examens de laboratoire, impossible sur les âmes, ils ne peuvent rien affirmer.

Vous marquez un certain étonnement. Que croyez-vous que nous fassions, sinon nous informer et prendre pour satisfaire nos intérêts intellectuels le temps qui manque toujours dans la vie terrestre ? D'autant plus que, débarrassée des aléas du support organique, notre mémoire fonctionne mieux qu'avant. Nos caractères et nos goûts peuvent enfin se déployer librement. Je continue à fort bien m'entendre avec Joseph, mais je fréquente surtout un cercle d'hommes de science, alors qu'il préfère les artistes, il est resté passionné d'ébénisterie. Tous les deux nous évitons les évangélistes qui passent leur temps la harpe à la main et qui chantent souvent faux. C'est qu'ils ont raconté trop de sottises à notre sujet, même si, en somme, ils ont peu parlé de nous.

Ainsi l'épisode de la fête de Pâque, quand le petit avait douze ans : Luc y a été franchement calomniateur. Prétendre que Joseph et moi quittions Jérusalem sans nous apercevoir que le petit n'était pas avec nous. Vraiment ! Il faut ne pas avoir la moindre notion de ce qu'est une *yiddische mame*. C'est à déculpabiliser indûment toutes ces mères distraites qui égarent leurs enfants dans les grandes surfaces ou sur les plages ! Quand j'y vague pour ma distraction et que j'entends les haut-parleurs annoncer que le petit Pierre ou le petit Paul attendent leur maman au rayon des fruits, j'en ai des frissons d'indignation. Notre aîné avait demandé à rester au Temple, il adorait écouter discuter les docteurs de la Loi, mais j'avais refusé. Nous devions rentrer. Je vous ai déjà dit mon obsession du retard dans le travail et ma perpétuelle vigilance. Joseph prétendait qu'il prenait trop de commandes et ma mère, toujours aussi hostile, qu'il n'en faisait pas assez. Je ne pouvais la désarmer qu'en veillant à ce qu'il fût constamment à jour. Donc, j'avais dit non au petit et je l'avais chargé de veiller à ce que ses frères rassemblassent bien tous leurs jouets. Vous connaissez les enfants, on est parti depuis une heure quand ils s'aperçoivent qu'ils ont oublié celui qu'ils aiment le plus. Je pensais, toujours trop crédule avec cet enfant qui avait l'air si innocent, qu'il obtempérerait sagement. Bientôt tout fut emballé, la mule chargée, Joseph, qui avait Jude dans les bras et tenait les deux autres d'une seule main pour les empêcher de s'égailler dans tous les sens, me demanda, tout énervé, où était l'aîné.

L'idée ne me vint pas tout de suite qu'il m'eût totalement désobéi. J'allai m'enquérir de lui chez les voisins : personne ne l'avait vu depuis le matin. L'inquiétude me prit.

– Mais c'est qu'il y sera quand même retourné ! s'exclama Joseph.

L'inquiétude me quitta.

Je courus, furieuse, jusqu'au Temple. J'avais des fessées plein la tête, mais allez calotter un garçon de douze ans devant une assemblée d'hommes mûrs qui discutent avec lui en souriant à propos des signes annonciateurs du Royaume de Dieu, et cela sous les yeux de la garnison romaine qui, casernée en face du sanctuaire, surveillait tout ce qui s'y passait ! Je pris l'air aussi doux que je pus pour aborder mon entêté de fils.

– Cher enfant, tu nous as déjà bien retardés, il faut se hâter, maintenant.

– Mais, Maman, ces messieurs sont si intéressants !

– J'en suis bien convaincue. Cependant, je ne crois pas qu'ils voudraient que tu désobéisses à ton papa.

Oh, l'hypocrisie ! Passé le coin de la rue, il avait sa taloche et pleurnichait que je ne le comprenais pas, que je le rabaissais toujours – rien d'original, cela se dit encore.

Joseph, qui avait été aussi inquiet que moi, se fâcha tout rouge, si fort que le petit se calma pour longtemps. Trop longtemps. Il donna dans une docilité opiniâtre qui ne me plut pas, mais je dois avouer qu'après des années de sourde indiscipline, j'en ressentis malgré tout un certain soulagement.

Le pouvoir nous avait oubliés. Il avait trop à faire avec les pharisiens et les zélotes qui fomentaient tout le temps de l'agitation quelque part pour se préoccuper des Davidides. Certes, l'attente d'un Messie qui libérerait les Juifs hantait toujours les âmes, c'était un sujet de discussions passionnées que de se figurer comment les choses se passeraient. De toute façon, les prédictions assuraient qu'il serait annoncé par une période de grandes catastrophes, il y aurait des guerres, des famines, certainement des épidémies – quand j'y pense, votre époque, avec ses tremblements de terre, son sida et ses guerres civiles qui explosent partout, si elle était moins sceptique, pourrait nourrir bien des espoirs ! – puis, parmi les pleurs et les grincements de dents, le prophète Élie, ravi tout vivant par l'Éternel et mis en réserve pour les temps à venir, reparaîtrait sur terre afin d'y restaurer un certain calme pour accueillir l'envoyé de Iahvé. Alors, les méchants se soulèveraient, c'est là que venait le grand point de controverse : serait-ce l'Envoyé ou Dieu lui-même qui les écraserait ? Les docteurs de la Loi étaient capables d'en discuter pendant des heures, et cela depuis des siècles, l'important était, à mon avis, qu'ensuite viendrait le règne de la paix et du bonheur. J'aimais, tout comme les autres, rêver à ce Royaume de Dieu, au Messie trônant dans sa bonté à Jérusalem, à un monde juste d'où l'iniquité aurait disparu, cela donnait du courage pour supporter les difficultés quotidiennes. Il y aurait mille ans de quiétude, puis Dieu, enfin satisfait de Son peuple, lui accorderait le Jugement dernier. Alléluia. Les justes iraient s'asseoir avec les anges dans le séjour de l'Éternel où ils pourraient contempler Sa face jusqu'à la fin des temps, les méchants seraient précipités dans la géhenne. Bien. Il est certain que nous n'en sommes pas encore là, l'humanité, juive ou pas, continue à se conduire le plus mal possible. En tout cas, si Hérode Antipas croyait au Messie, il ne se souciait plus de nous.

C'est à cette époque que j'eus mon cinquième enfant. Cela dut troubler le petit, mais il ne marqua rien, il restait toujours poli et distant. J'avais imprudemment supposé que mon temps de fécondité était passé et négligé les enseignements d'Abigaïl qui m'avaient été si utiles pendant des années, ce qui fait que je me vis de nouveau grosse à trente et un ans. Je vois que je vous étonne encore, mais il faut vous rendre compte que nous n'étions pas aussi informées sur ces choses que les femmes de votre époque, nous n'avions pas les idées tellement claires sur l'âge de la ménopause. Comme j'étais en très bonne santé, j'accueillis volontiers Simon, mais je redevins d'autant plus attentive que mes aînés arrivaient à l'âge d'homme, ils allaient se marier, il ne convenait plus que leur mère enfantât. Jacques et Josès furent très heureux de prendre femme, mais mon aîné ne regardait jamais les filles. Il travaillait sans cesse. Ma mère eût été rassurée, toutes les commandes étaient finies à temps. Mais il n'avait jamais l'air content : taciturne, poli, l'humeur égale, ni gai ni triste, mon fils était ailleurs. Vingt fois, j'essayai de lui parler :

– Est-ce que quelque chose ne va pas ? Qu'attends-tu pour te marier ? L'aîné de mes fils ne me donnera-t-il pas de petits-enfants ?

Il ne répondait pas.

– Qu'est-ce que tu reproches à Sarah ? Elle est jolie comme tout et très bien élevée. Et à Esther ? Je suis sûre qu'elle est amoureuse de toi. Et à Rachel ? et à Myriam ?

Pas un mot. Moi, je ne comprenais pas qu'on pût ne pas vouloir se marier, afin d'être heureux. Mais naturellement, il ne se souciait pas du tout d'être heureux.

De temps en temps, il nous quittait pendant quelques mois et, au retour, il se dérobait à toute réponse quand nous lui demandions où il était allé. On a dit qu'il avait été tenté par les Esséniens, et aussi qu'il avait suivi l'enseignement de Hillel : j'ignore toujours si c'est vrai, nos relations sont restées trop distantes pour que je puisse lui poser la question. Mais il m'était très difficile de ne pas insister, il fallait que Joseph me retînt :

– Écoute, il est à l'âge d'homme, il travaille très sérieusement, de quel droit le surveillerions-nous, s'il part parfois se reposer ?

Se reposer ! Il revenait plus pâle et taciturne que jamais !

– Quelque chose te ronge. Si tu disais la vérité à ta mère ?

Mais il ne faudrait pas imaginer que je vivais dans l'angoisse : disons que j'avais un tracas intermittent, dont je vous parle plus que du reste, à cause de la suite de l'histoire, mais qui ne m'empêchait pas de jouir des nombreux bonheurs de ma vie. Je m'entendais assez bien avec mes belles-filles : comme, en cette époque simple, nous n'avions pas de théories disparates sur l'éducation des enfants, ni sur les diverses façons de manger sainement, nous ne nous disputions pratiquement pas. Ma vie était aussi paisible qu'il se pouvait dans une époque où la paix ne régnait pas.

Des deuils survinrent, qui étaient dans l'ordre des choses : ma mère mourut, puis mon père et celui de Joseph, qui se retrouva donc chef de famille. Puis nous fûmes tous bouleversés : Élizabeth était redevenue tout à fait folle après que Jean l'eut quittée pour aller prêcher dans le désert. Je courus là-bas, je fis ce que je pus, hélas ! elle délirait, ne s'alimentait plus et perdit très vite la vie. Le manque d'égards de Jean m'indignait, mais il faut ajouter que, dans nos familles discrètes, l'exaltation était mal vue : l'idée de Jean vêtu de haillons, debout dans le Jourdain où il baptisait furieusement des adultes en extase, choquait, je devrais dire scandalisait. On disait que les gens venaient en foule se faire insulter, qu'il les traitait de race de vipères lâches qui fuyaient la colère de Dieu et qu'ils adoraient ça. Je sais maintenant que les époques troublées engendrent volontiers les crises mystiques, il semble que votre fin de siècle ne soit pas épargnée, mais je n'avais pas encore le point de vue historique. Nous parlions beaucoup de Jean à la maison, et je ne remarquais pas que le petit écoutait tout sans mot dire tant j'étais fâchée sur mon jeune cousin. Nous apprîmes qu'une délégation de prêtres allait l'interroger, car Jérusalem prenait l'événement au sérieux, personne n'avait envie de manquer l'arrivée du Messie par négligence. Évidemment, nous haussions les épaules : Jean, le fils de Zacharie, que nous connaissions depuis sa petite enfance ne pouvait pas être le prophète Élie ! La délégation revint déçue, et pour nous tout retomba.

Pas pour le petit. Il s'en alla.

En vérité, je devrais dire qu'il disparut : un matin, il ne parut pas à l'atelier, je trouvai sa chambre vide, le lit n'était pas défait. Personne ne l'avait vu et, s'il n'eût pas été un homme de trente ans, je me serais affolée comme à Jérusalem. Les apprentis firent des sourires entendus en me voyant le chercher, mais je ne pouvais, hélas ! pas espérer qu'il se fût attardé chez quelque conquête. Je courus de tous les côtés dans Nazareth et je finis par trouver un vieillard insomniaque qui, se promenant tard, l'avait aperçu s'engager sur la route du nord.

— Il est allé retrouver Jean ! dis-je à Joseph, qui essaya de ne pas le croire.

L'évidence me terrassait. Cet étrange enfant, si différent de nous et qui refusait de se laisser connaître, trop sage, trop sérieux, trop silencieux, mon premier-né, celui que j'avais peut-être, dans le secret de mon cœur, injustement préféré à ses frères que je comprenais tellement mieux, le petit était parti sans rien dire, il nous avait quittés comme si nous ne comptions pas pour lui, sans un mot, sans un adieu. Je fus blessée, furieuse, déchirée – et j'eus peur.

Hélas! vous savez que je n'eus pas tort. Je ne vous ferai pas grand récit de ce qui suivit, ce sont des événements connus de tous, même s'ils ont parfois été si profondément transformés par la légende que nous qui les avons vécus, nous avons du mal à les reconnaître. Vous observerez que, au pire de leurs distorsions, Matthieu, Luc, Marc et Jean ne parlent presque jamais de Joseph ni de moi : c'est que nous restâmes à la maison, consternés, sauf tout à la fin, quand je courus partout dans Jérusalem pour essayer de le sauver.

Cela ne dura que quelques mois, comme l'a deviné Charles Guignebert [1], cet homme remarquable qui est allé aussi près de la vérité qu'on peut le faire dans votre époque. J'ai suivi ses travaux avec grand intérêt à l'époque où il enseignait l'histoire du christianisme en Sorbonne, je lisais par-dessus son épaule pendant qu'il écrivait son *Jésus,* et quand il nous a rejoints, j'ai été parmi les premières âmes à l'accueillir. Si vous l'avez lu – non ? hâtez-vous de le faire, il écrit à ravir et je sais que vous êtes sensible au beau langage –, quand vous l'aurez

---

1. Charles Guignebert, *Jésus,* Albin Michel, 1969.

lu, vous imaginerez fort bien son ravissement à nous rencontrer, Joseph et moi, et qu'il nous a interrogés pendant des heures. Je lui ai raconté cette période douloureuse : avec quelle sympathie intelligente il m'écoutait ! C'est qu'on nous rapportait les choses les plus contradictoires, avec une seule constante : le petit annonçait l'imminence du Royaume de Dieu. Il incitait chacun à quitter ses attachements pour le suivre, car tout allait changer, le Ciel allait s'ouvrir et Iahvé apparaître, comme il est prévu dans les Écritures. Ainsi, il se désignait comme le Messie, soulevant l'espoir des uns, l'incrédulité des autres et d'immenses discussions chez tous. Il y eut des calomnies : on prétendit qu'il ne respectait pas le sabbat, qu'il ne jeûnait pas aux jours prescrits, qu'il pardonnait les péchés, ce qui n'appartient à aucun être humain, et qu'il avait nargué le Temple. Pouvait-il être le Messie et ne pas observer la Loi ? Il descendait de David. Dix siècles plus tôt, les tribus étaient arrivées en Palestine, on ne savait pas d'où elles venaient mais dans nos cœurs régnait la certitude qu'elles y avaient été posées par la main de Dieu et nous avions enduré mille souffrances pour garder sa faveur. Nous avions lutté contre les Assyriens, les Égyptiens, les Perses, les Grecs et les Romains pour sauvegarder notre identité. Vingt fois l'hérésie avait voulu s'emparer de nous, nous nous étions raidis dans l'observance de la Thora qui faisait de nous des Juifs, le peuple élu qui irait, un jour, paître dans les champs du Seigneur : je défendais mon fils, je luttais avec force – par instants le doute s'insinuait en moi.

Je voulus le voir. J'appris qu'il venait en Galilée, à Cana, où un de nos cousins se mariait. Joseph était trop fâché contre lui pour accepter de le rencontrer, mais il consentit que j'y aille, accompagnée de Simon, notre plus jeune fils. Je voulais avoir la preuve que tout ce qu'on racontait n'était que ragots malveillants. J'eus bien autre chose !

Dès que je le vis, je fus effrayée : il avait un regard étrange qui glissait sur les choses sans les voir, et il parlait sans arrêt. Mon fils taciturne, presque mutique, ne se taisait pas un instant ! On le fit asseoir près de moi, alors qu'il ne m'avait saluée que comme une étrangère, et je fis de mon mieux pour me conduire convenablement, mais quand je lui adressais la parole, il ne me répondait jamais. J'étais si blessée que le rouge de la honte ne quittait pas mon front et je me mis à discuter nerveusement avec ma voisine, une grosse femme un peu sotte toute flattée d'être assise si près de l'invité le plus en vue. Je bus un peu trop, moi qui n'ai jamais aimé le vin, mais je n'étais plus moi-même. Comme mon verre était vide, je le tendis vers une servante qui me dit, toute gênée, qu'il n'y en avait plus.

Cela se passait à un de ces moments particuliers dans les dîners, vous devez connaître cela, où par hasard tout le monde se tait en même temps, et, tournant la tête vers mon fils, car la grosse voisine m'agaçait, je dis :

– Oh ! les pauvres ! Ils n'ont plus de vin !

J'aurais mieux fait de me taire. Le petit redressa la tête et, d'une voix bien haute, bien distincte, prononça :

– Femme, qu'y a-t-il de commun entre toi et moi ?

Je n'y tins plus. Je me levai d'un bond, suivie par Simon qui était aussi indigné que moi.

Quant à ce qu'on a raconté sur ce qui s'est passé ensuite à ces célèbres noces, je ne peux rien vous en dire puisque je n'y étais plus, et que ma brouille avec lui ne s'est pas dissipée, bien au contraire, de sorte que je n'ai jamais pu lui poser de questions.

Je n'aurais pas dû aller à Cana : les récits qu'il fallut bien faire à Joseph le jetèrent dans une colère terrible qui lui gâta l'humeur pendant des semaines. Déjà le départ sans un mot l'avait offensé : l'insulte lui parut impardonnable. Personne ne retrouva le calme, car les nouvelles étaient de plus en plus alarmantes. Si le petit était resté dans la montagne, ou au bord des lacs, prêchant à des paysans et des pêcheurs, le pouvoir ne s'en serait pas mêlé, mais il alla à Jérusalem. Il semble que le procurateur s'énerva très vite. Là, les choses ne furent claires pour personne. On a prétendu qu'il soulevait les foules, que Rome se sentit en danger : cela est possible, il ne faut pas oublier que les insurrections étaient nombreuses et que Pilate les matait toujours avec une terrible brutalité. Je pris peur. Je décidai d'aller voir le petit pour le mettre en garde, Joseph exigea que les quatre garçons m'accompagnent. Marc a prétendu que nous voulions nous saisir de lui et le faire passer pour fou : il y a là juste de quoi me faire hausser les épaules.

Pourtant... cela aurait peut-être pu lui sauver la vie. Mais l'idée ne m'en vint pas.

On l'avertit de notre arrivée. Il se leva, fit quelques pas vers nous, puis, nous regardant bien droit dans les yeux, dit :

– Qui est ma mère, qui sont mes frères ?

Voilà.

Il fut arrêté, et il y eut cette comédie de procès. Mais prétendre que c'est le Sanhédrin qui le jugea ! Même si le petit choquait un peu nos convictions, il n'attaquait en rien nos croyances. Il les amplifiait, ce qu'aucun Juif pieux ne pouvait lui reprocher. En pleine fête de Pâque, on reste chez soi, on commémore en famille la sortie d'Égypte, on ne court pas les rues, et le Sanhédrin ne siège pas la nuit, comme le fit remarquer très judicieusement Charles Guignebert, cet homme réfléchi qui ne se laissait pas emporter par les passions. Et puis prétendre que la sentence fut prononcée le jour de l'interrogatoire ! Même Pilate n'aurait pas exigé cela, on laisse tout de même aux juges le temps de la réflexion ! D'ailleurs jamais le Sanhédrin n'eût condamné à la crucifixion, une barbarie romaine indigne d'un juif. Lapidé, décapité, peut-être, mais pour un crime grave : se dire le Messie n'en était pas un. Là, bien sûr, la suite, à nos yeux, a démontré qu'il ne l'était pas, puisque le monde va toujours aussi mal. Ses disciples ont cru en mourir de désespoir. Plus tard, j'ai vu Pierre : il pleurait à fendre le cœur.

N'empêche que j'ai couru, en pleine nuit, chez le grand prêtre et chez tous ceux du Sanhédrin qui ont bien voulu me recevoir, ce qui ne se fait pas la nuit de Pâque. Ils ne refusaient pas de me secourir : hélas ! le petit avait effrayé, il était perdu :

– Ma pauvre amie, en ces temps difficiles, que pensez-vous que nous puissions faire ? Nous n'avons aucune possibilité de fléchir le procurateur. Sa condamnation est une sottise qu'il paiera cher, j'en suis sûr, et une cruauté inutile : il a le pouvoir. Nous n'en avons aucun. Nous sommes assujettis à Rome : on y a fait de cette affaire une question politique, nous ne pouvons intervenir que dans les questions religieuses.

Mais je ne suis pas allée au Golgotha, quoi qu'en dise Jean. Simon m'a ramenée sanglotante à la maison, et Joseph m'a tenue entre ses bras pendant des heures. Il pleurait aussi. Nos belles-filles ont pris grand soin de nous pendant les quelques années qui nous restaient mais, bien sûr, nous n'avons jamais retrouvé la joie de vivre. Ce fut un grand soulagement de penser que nous étions trop vieux pour que notre chagrin ne fût bientôt soulagé par la mort.

Plus tard, Jacques s'est joint aux disciples. Puis, tous mes enfants ont quitté la Palestine, lors de la Grande Diaspora, en 70, et même si, ensuite, ils ont beaucoup erré à travers le monde, je sais où vit, actuellement, l'aîné des enfants de David, et sous quel nom, mais je ne le dirai pas, car cela ne servirait qu'à le troubler. Je ne crois plus qu'un Messie viendra.

Le petit sera furieux des révélations que je vous ai faites : tant pis ! Quant à l'Éternel, nous sommes brouillés, Lui et moi, depuis si longtemps qu'Il haussera certainement les épaules – pour autant qu'Il se soucie d'en entendre parler. Il court des rumeurs : on dit qu'Il se désintéresse de l'humanité, qui L'aurait trop déçu, pour s'amuser avec un autre univers. J'espère qu'Il s'y prendra mieux qu'avec le nôtre et que Ses nouvelles créatures auront plus de sens moral que les hommes, car si Lui, étant parfait, n'est pas perfectible, il est évident pour quiconque les regarde que Ses œuvres le sont.

J'avais besoin que quelqu'un sache. Je suppose qu'on ne vous croira pas, car de toute éternité l'humanité a préféré les légendes à la réalité, mais ayez, je vous en prie, la gentillesse de répéter ce que je vous ai dit. Il n'est pas juste qu'on se serve de moi contre le sexe auquel j'appartiens : j'étais une jeune fille comme les autres, avec les défauts et les qualités ordinaires des filles, je fus une femme sans particularités, même si l'un de mes fils changea le monde, et je n'ai jamais cessé d'être juive. Le petit non plus, ce sont ses disciples qui ont abandonné la Thora, pas lui. En vérité, si vous regardez de près ce qu'ont dit de moi les évangélistes, vous verrez qu'il n'y a presque rien : une ou deux anecdotes déformées, pas de place dans une auberge, un garçon indocile qui se plaît à la compagnie des gens instruits et l'éternelle incompréhension qu'on prête aux parents. Hé ! c'est qu'il n'y avait rien de plus ! Voilà le secret de l'affaire, la chose que les siècles n'ont pas supportée, ils ont voulu que le destin de mon fils commence avant lui-même. Il aurait dû démentir pour restaurer la dignité de Joseph. Que voulez-vous, il n'a pas été le premier garçon à être jaloux de son père, et si j'en crois la psychologie moderne, il ne sera pas le dernier.

C'est tout.

III

Au troisième degré

À Pierre Puttemans.

Reste là-bas, petit, ne t'approche pas de moi ! Je déteste que les hommes me touchent. Cela intriguait toujours la Touroulde qui voulait bien croire que les voix me commandaient de rester vierge, mais qui ne comprenait pas que je n'en fusse pas désolée. Il paraît que tu n'entends pas le français : tant mieux, je peux donc te parler librement. Vois-tu, il y a plus de deux ans que je mens pour sauver la France. La Touroulde me disait à voix basse qu'elle adorait que les hommes la convoitassent et la touchassent, elle prenait grand plaisir au déduit et quand son mari revenait un peu débraillé et rouge des écuries, elle était furieuse car elle se sentait spoliée. Me voir esquiver tenacement la moindre approche l'étonnait beaucoup :

– Bien ! bien ! Vierge, oui, mais un baiser ? Tu as les seins si jolis, ça ne te donne pas envie qu'on les caresse ?

Elle pouvait trembler si un homme lui tenait la main un peu longtemps en la regardant tout droit dans les yeux, ce qui me laissait perplexe : ma foi, ils prennent la main, bon, et puis ? On sent une main autour de la sienne, c'est chaud, frais, gras ou sec, et le plus souvent encombrant, d'où vient la pâmoison ?

Mais toi, je vois bien que tu es timide, tu ne me dérangeras pas. J'ai envie de raconter, d'expliquer, tu te doutes bien que je dois me taire. Vois-tu, j'ai construit une légende, toute ma force est venue de là, et mon pouvoir sur les choses. Je me suis inventée de toutes pièces et si puissamment, si judicieusement que je me demande si je me souviens encore de la vérité. Par moments, quand je parle de mes voix, j'y crois. Je les entends qui me résonnent aux oreilles et cela me fait un peu peur car je ne veux pas devenir folle. J'ai vécu tellement longtemps dans l'étroite compagnie de mon mensonge qu'il est devenu une part de moi et la voix de saint Michel me parlant, gamine, m'est aussi réelle que celle de mon père quand il me grognait dessus. Il faut dire la vérité à quelqu'un pour m'en ressouvenir et préserver ce que je suis contre ce que j'ai prétendu être. Je l'ai si bien fait ! Cela m'a semblé si facile ! Quand j'ai commencé, je ne mesurais pas à quoi je m'attaquais, et que j'allais forger une Jeanne qui n'existait pas et qui ne me quitterait plus.

Et quel plaisir j'y ai pris ! Elle me fait rire, la Touroulde, avec les petites secousses dont elle me rebattait les oreilles ! Dès la première fois que je me mis à parler d'apparitions, il me sembla que je quittais une défroque grise et usée pour passer un habit de fête aux couleurs resplendissantes, et cependant c'était par une après-dînée de mauvais temps, nous finissions de rentrer les vaches et j'étais bien crottée. Il y avait plusieurs jours que je sentais que j'étais prête et que je m'exhortais à commencer. Je pris mon élan. Mon frère me taquinait et plaisantait, s'attendant à ce que je lui répondisse comme d'habitude, je hochai la tête et lui dis que j'étais préoccupée. C'était encore un bon petit garçon, en ce temps-là, mon frère, il abandonna vite les jeux et vint vers moi, me prit les mains et me baisa la joue.

– Dis-moi, dis-moi ce qui te fait souci.

– C'est que tu ne me croiras pas.

Il faut toujours commencer par dire cela, j'avais beaucoup réfléchi, petit, on n'éveille la crédulité des gens qu'en la mettant au défi. Si tu entendais le français, avant de te parler je te donnerais mille raisons de ne pas me croire qui te persuaderaient de ma véracité et après je te ferais avaler n'importe quoi. Il goba tout.

Sais-tu qu'il est étonnant que personne ne m'ait jamais prise pour folle ? J'étais une jeune fille comme les autres et, dès que je me rendis compte que je réfléchissais plus que mes compagnes, je m'attachai à le dissimuler. On voyait en moi une fille qui ne rechignait pas à la tâche, rieuse, dévote autant qu'il sied, mais pas plus, car cela je n'en aurais pas eu la patience, une personne que rien de particulier ne désignait à l'attention, et je pris soin, quand je me mis à parler des voix, de le faire comme d'une chose toute naturelle, de les montrer s'adressant à moi sans la moindre imagination, comme mon père ou ma mère eussent pu le faire :

«Jeanne, va mettre la lessive à sécher sur le pré» ou «Jeanne, va aider le roi à bouter les Anglais hors de France», tout pareil, et moi, fille docile, je faisais comme on me disait et cela n'étonnait personne car on ne m'avait jamais vue rebelle.

Tu me regardes avec de si gros yeux bien étonnés que j'aurais presque l'impression que tu me comprends! Il est vrai que depuis des semaines que tu passes tes nuits à me surveiller, tu ne m'as jamais vue de cette humeur bavarde. C'est que ce soir j'en ai assez de la comédie. Demain, ils seront furieux si tu leur dis que j'ai parlé, ils mettront quelqu'un d'autre, qui entende le français, afin de savoir ce que je dis, à moins que, comme j'en ai le pressentiment, ceci soit ma dernière nuit, mais je ne parlerai plus, j'aurai si bien repris ma grave allure ordinaire qu'ils te regarderont avec méfiance et penseront que tu les trompes. Ne leur dis rien. Garde le secret. Chut!

Mon frère me regardait comme tu le fais, étonné mais pas incrédule. C'est que nous avions grandi dans l'idée des miracles, entourés de saints qu'on n'avait jamais vus, mais tout le monde connaissait quelqu'un qui connaissait quelqu'un qui avait vu quelque chose, et il était de règle qu'on y crût. Si tu veux y penser un instant, c'est extravagant : personne ne doutait de la réalité de choses que personne n'avait vues, mais on faisait une mauvaise réputation à saint Thomas qui avait voulu mettre le doigt dans les plaies du Christ pour y croire. Il n'était pas dégoûté, celui-là! Sans doute n'étais-je pas la seule à rêver habits de fête et que patauger dans la boue des champs sous la perpétuelle menace de soldats errants, vivre dans la peur des famines qui succèdent aux batailles donne envie de voir briller des auréoles et d'entendre chanter les anges.

– Saint Michel ? Sainte Catherine ? disait mon petit frère émerveillé.

– Tous les jours, depuis deux ans.

– Tu l'as dit au curé ?

Ah non ! pas si bête ! Je le connaissais, notre curé, il m'aurait flanqué deux gifles, deux pater et deux ave ! Personne n'a jamais remarqué que moi, la pieuse et sage fille, je suis restée à l'écart du curé et n'ai, au début, parlé qu'à mon frère et à mon cousin.

Mais tout de même, me disait la Touroulde, tu ne dois pas détester si fort les hommes, tu étais toujours avec eux, c'est à eux que tu t'es d'abord ouverte de tes voix, c'est eux qui te soutenaient.

Elle n'y comprenait rien, et c'était pourtant simple : je ne déteste, des hommes, que leur désir, et encore, quand il s'adresse à moi, et puis, chez nous les paysans, les hommes sont toujours un peu plus instruits et un peu plus intelligents que les femmes qui vont poussant de grands cris ou marmonnant des prières. Elles ne réfléchissent pas et cela m'agaçait. Je m'étais mise à écouter. À force, fille sage qui se tait comme il sied, de porter attention à ce qui se disait autour de moi, je me fis peu à peu une tête politique et je compris que les rapines, massacres, épidémies et autres maux qui nous accablaient depuis des décennies n'avaient lieu que parce que les guerres semaient le désordre. On ne savait jamais bien qui était brigand et qui était soldat, mais tout homme armé faisait peur, surtout que nous, nous ne pouvions pas nous armer. Nous vivions dans la lâcheté érigée en vertu, j'en eus bientôt les dents qui grinçaient. J'avais envie d'être un homme, de pouvoir me battre, de tailler en pièces ceux qui nous rendaient la vie si difficile, j'étais révoltée et ils étaient soumis. Ils gémissaient, gémissaient. Oh! que cela me rendait nerveuse! Si la bataille arrive jusqu'ici, les récoltes seront encore gâtées, ils piétinent le jeune blé comme de la mauvaise herbe et puis s'en retournent chez eux où les champs sont restés intacts. Et le Colas d'en haut qui est mort à Cravant, et le Colas d'en bas à La Gravelle, ils vont nous tuer tous les hommes. Et quand on a dû s'enfuir sur Neufchâteau, le Jean y a perdu trois vaches, priez Dieu, mes bons amis! Tout finissait toujours par des prières et la guerre continuait, à croire que Dieu est sourd comme un pot. Je me disais que les Anglais priaient sans doute aussi et que Dieu ne devait pas savoir où donner du miracle, mais je gardais ces pensées-là pour moi car je me rendais compte qu'elles pouvaient envoyer au bûcher, qui m'a toujours fait peur. Comme si j'avais eu un pressentiment. Le nombre de choses qu'une fille doit garder pour elle! Qui l'écouterait? Au début, l'idée ne me vint pas que je raisonnais mieux qu'eux et je fis quelques imprudences : on ne les remarqua pas, la parole d'une donzelle n'est qu'un bruit qui cesse vite si l'on n'y fait pas attention. On écoute les saints, qui parlent par la voix des curés, la seule qu'ils aient puisqu'il sont tous morts : moi, j'étais vivante, en bonne santé, fille et paysanne, rien qui me rendît audible.

Mais enfin, à quoi rimait cette guerre ?

Tu n'en sais sans doute pas plus que moi, dans mes quinze ans, quand la colère me prit, petit. On t'a jeté là-dedans sans rien t'expliquer, mais je vais te dire : cela durait depuis bientôt cent ans, cinq générations ! et les plus vieux ne se souvenaient pas bien de ce que leurs grands-parents racontaient, sauf que le roi de France et le roi d'Angleterre se disputaient comme des chiens, Philippe voulait la France et Charles ne lâcherait jamais son trône, comme leurs pères et les pères de leurs pères, accrochés à leur os de plus en plus décharné, grognants, bavants, hideux j'en suis certaine, sauf que sous les fourrures et les bijoux on ne voyait pas leurs âmes, elles eussent donné la nausée aux braves gens qui, comme moi, avaient été élevés dans l'observance des vertus chrétiennes et se rongeaient les sangs s'ils avaient un instant convoité le bien de leur prochain.

On disait que cela avait commencé avec le mariage d'Aliénor, qui n'aurait pas dû épouser un Anglais, mais depuis quand les filles choisissent-elles leur époux ? Puis quelques-uns des rois qui suivirent moururent sans fils et, comme les filles ne sont pas faites pour régner, tout s'embrouilla définitivement. Je n'en compris pas beaucoup plus, bien que, plus tard, l'un ou l'autre essayât de m'expliquer : cela ne m'intéressait pas, je voyais que chacun avait sa théorie, qui allait avec ses prétentions, et je me bouchais les oreilles. Mais là-bas, dans mon village, je me mis à réfléchir très sérieusement : nous fallait-il le roi d'Angleterre ou celui de France ? Certains assuraient que le mieux serait d'avoir les deux et qu'ils trouvassent à s'entendre. Depuis le temps que cela durait, je me demandais comment il se pouvait qu'il y eût encore des esprits assez naïfs pour imaginer que c'était possible. Qu'il fût Lancaster ou Valois, il était évident qu'il n'y aurait qu'un roi de France, et tout le monde détestait les Anglais, des gens qui n'étaient même pas capables de parler français, comme toi, petit, ce qui, cette nuit, m'arrange bien ! J'écoutais parler politique : il n'était question que d'argent, qui manquait chez soi, mais certes, si on se procurait le bien du voisin, on se retrouverait fort agréablement pourvu. Nul n'accepterait jamais Henry VI par ici, même si le duc Philippe feignait d'être à son côté. Si incertain et terrifié que parût Charles, il était français. C'était un personnage peu respecté, qu'on dépeignait tremblant de peur et fort gêné par les ragots qui couraient sur sa naissance : mais qui demande aux rois d'avoir un noble caractère ? Toute l'affaire est qu'on puisse jouir de quelque paix sous leur règne. Tant que Charles aurait des partisans, Henry serait combattu et tous disaient que la Guyenne ne le lâcherait jamais. Il fallait se défaire des Anglais, Philippe et Charles sauraient s'entendre et nous laisser tranquilles.

Comment faire ?

L'idée me vint à l'église, devant le curé et les paroissiens, tous gens follement épris de surnaturel. J'avais seize ans et, Dieu ! que la messe me paraissait longue ! On n'y peut faire que s'agenouiller, se lever, baisser la tête et marmonner des paroles qu'on connaît par cœur, or j'avais une nature bouillonnante qui me portait à courir, sauter, bavarder, de préférence pour ne rien dire, car il faut se méfier de ceux qui écoutent, sauf de toi, petit, qui ne comprends rien, mais je devais rester tranquille sous l'œil éteint du Christ en bois, passé à la peinture jaune paille pour faire cadavre, qui ayant repris sur lui tous les péchés du monde porterait bien mon ennui avec le reste. Je réfléchissais afin de me distraire. Faire sortir les Anglais de France, certes, mais comment pourrais-je intervenir là-dedans, moi, gamine à Domrémy, dans ma cotte rapiécée et mes sabots crottés ? À force de regarder Jésus en croix, je me dis qu'il était fils de menuisier, pauvre, peu instruit prétendait-on, apparemment pas mieux équipé que je n'étais, et que cela ne l'avait pas empêché de porter la parole divine de Nazareth, petit village perdu, jusqu'aux confins de l'univers. Alors, si le Seigneur Tout-Puissant avait, dans Sa sagesse, choisi un si modeste personnage pour donner Ses ordres, pourquoi quelques saints bien intentionnés n'éliraient-ils pas une petite fille de campagne ? Quand le message vient du ciel, qu'importe la qualité du messager, toute l'affaire est qu'il se fasse entendre.

Le curé tonnait comme d'habitude contre les pécheurs et promettait le Paradis aux âmes soumises, dont je me doutais déjà que je n'étais pas. Si quelque saint m'apparaissait et me disait d'aller régler les querelles des rois, je ne ferais qu'obéir, ce qui est d'une fille docile, peut-être même prendrait-on en pitié l'enfant effrayée à qui échoyait une si lourde tâche ? Saint Michel était évident, qui dirigeait la milice céleste et devait donc avoir le caractère batailleur, d'ailleurs il fallait un homme, une histoire qui ne se passerait qu'entre filles risquait de ne pas faire le poids. Sainte Marguerite et sainte Catherine donneraient certainement de la force à ma voix : l'une avait mis un dragon en déroute et l'autre avait été choisie pour épouse mystique par l'Enfant-Dieu Lui-même.

Bien. Donc leurs voix me dicteraient mes actes : mais quels actes ? La suite de l'idée me fut fournie par mon père qui, du côté des hommes où il était assis, me jetait tout le temps des regards soupçonneux. Il était poursuivi par l'idée que je le déshonorerais depuis que j'avais éconduit le Thomas qui me voulait en mariage. Vois-tu, petit, quand il m'arrive de me demander pourquoi cette navrante folie de faire cesser la guerre en la gagnant m'a prise, je me souviens de la vie que j'aurais eue sans elle et je me moque de mes regrets. Tout mon malheur a été d'être intelligente et courageuse dans un monde de pleutrerie, de réfléchir sur les choses en sachant que je devais me taire, ainsi que d'avoir un tempérament colérique et décidé qui aurait mieux convenu à un garçon. Je ne suis pas une résignée, ce qui, à la veille de me faire brûler sans protester, est bien enrageant. Quand j'entendais

Hauviette et Marguerite, mes voisines, parler du morne avenir que l'état de fille nous promettait, j'avais des bouffées de fureur qui me coupaient le souffle. Heureusement, d'ailleurs, cela me faisait taire, si j'avais dit mes pensées, il est sûr que je me serais trouvée encore plus vite à la veille du bûcher ! Je ne voulais ni du Thomas ni d'aucun autre. Ils font grand cas de ma chasteté : mais ils puent ! Lorsqu'ils s'approchent de moi les mains en avant, ils ont les doigts gras de sauce et leurs braguettes gonflées sentent l'urine. Ils ont les dents gâtées, l'haleine fétide et les cheveux poisseux : ah ! c'est un grand courage que de rester vierge devant de si belles tentations ! Thomas était jeune, c'est vrai, mais je n'avais qu'à regarder les hommes faits pour le voir tel qu'il deviendrait. Et quand on succombe au péché qu'ils proposent – ce que je ne peux pas concevoir –, on se retrouve derrière un ventre énorme, avec les seins comme des outres qui font mal si les nourrissons qui se succèdent ne les vident pas toute la journée. Le Gobert Thibault, un des soldats avec qui j'ai voyagé, s'émerveillait que ses compagnons, en ma présence, sentissent les brasiers s'éteindre dans leurs chausses, et pensait que Dieu me protégeait des ardeurs : je crois, moi, que le dégoût se lisait sur mon visage, sans que je le fisse exprès, et dégonflait leurs prétentions à leur insu. Mon père, qui ne comprenait rien à rien, croyait dur comme fer qu'une fille ne pense qu'à se faire renverser jambes en l'air. Depuis que mes seins avaient poussé, il rêvait toutes les nuits que je courais le soldat avec les putains de l'armée. Je n'étais pourtant pas si belle que j'occupasse ainsi son esprit, mais ma mère qui l'était encore moins avec ses cheveux gris et sa bouche édentée, dès qu'il faisait mine de l'approcher, grognait qu'elle avait eu assez d'enfants comme ça et qu'après tout le travail de la journée, à l'étable, à la cuisine et aux champs, elle avait sommeil et voulait dormir tranquille. Cela ne me donnait pas grande idée de ce qui déshonore les filles et qui est censé leur faire tellement envie. J'étais étonnée qu'Hauviette et Marguerite ne démordissent pas d'une extrême impatience à y goûter car leurs mères n'en semblaient pas plus enthousiastes que la mienne. N'empêche qu'entendre ainsi tous les matins mon père décrire la vie qu'il me voyait mener parmi les hommes de guerre fit venir, pendant la messe, ce qui manquait à mon plan : je me ferais soldat ! Mes saints me diraient de prendre les armes et de conduire les troupes à la bataille ! Nous délivrerions Orléans, j'irais, la bannière à la main, clamant la victoire de Dieu devant les Anglais épouvantés ! Je faillis éclater de rire tant l'idée me plaisait.

Tu n'imagines pas comme les choses furent faciles, cela ne cessa jamais de me stupéfier. Mon petit frère, acquis en un tournemain, était une première étape, mais il eût été imprudent d'en faire plus à Domrémy, je lui fis jurer silence car je me méfiais de mon père qui, quand il avait rêvé trop fort, parlait de m'enfermer dans un couvent. Il fallait quitter le village, et la Providence me secourut : ma cousine de Burey-le-Petit me fit appeler. Elle allait accoucher, manquait d'aide, m'aimait bien et j'étais la seule fille disponible dans la famille. Je me mis en route avec des battements de cœur : je serais à deux pas de Vaucouleurs, une forteresse commandée par un certain capitaine Baudricourt qui détestait les Anglais et rongeait son frein, disait-on, exaspéré de ne jamais pouvoir se battre. Je voulais arriver à lui. Je dus m'y prendre à plusieurs reprises, certes, mais je m'y attendais, je me doutais que plus les gens sont importants, moins ils sont naïfs. Je mis en œuvre toute une stratégie : c'est que je n'étais là, moi, que comme la jeune parente serviable dont on a besoin en fin de grossesse, quand deux enfants en bas âge réclament des soins qu'il devient difficile de donner. Le mari de ma cousine, le bon Durand Laxart, fut émerveillé par mon excellent caractère, mon endurance au travail et ma patience inaltérable.

— Tu es un bonheur pour nous, disait-il.

Je baissais les yeux et je soupirais.

— Hélas.

Qui finit par l'intriguer.

— Pourquoi toujours hélas ? N'es-tu pas heureuse ici ?

— Je le serais, si un autre devoir ne m'appelait, que je ne sais pas comment remplir.

Il avait tendance à être discret, j'eus quelque difficulté à me faire arracher mon secret, mais j'y parvins enfin et il me crut sans hésiter.

— Il faut agir. Il faut aller voir le capitaine Baudricourt, lui seul a le pouvoir de te faire conduire au roi.

Ou reconduire chez mes parents, ce qui fut sa première pensée, mais déjà j'étais à Vaucouleurs, chez d'autres gens qui répandaient leur foi en ma mission et le capitaine assailli d'insistance me regardait avec étonnement lui expliquer qu'une prophétie avait été faite, où on disait qu'une femme perdrait la France, c'était bien entendu Aliénor avec son mauvais mariage, et qu'une vierge des Marches de Lorraine la sauverait.

– Mais, ces choses-là, comment as-tu pu les savoir, dans ton village?

– Je n'aurais pas pu. C'est saint Michel qui me les a dites.

L'appel à l'ignorance des filles ne laisse jamais un homme dans le doute. Si je savais quelque chose, ce devait être surnaturel.

Bientôt, on parla tellement de moi que le bruit vint aux oreilles du duc de Lorraine, qui était malade et ne comprit pas bien ce qu'on lui disait, mais me fit appeler. Je fus tout heureuse de m'y rendre et fort dépitée quand il me parla:

– Je suis à la mort. Guéris-moi.

– Mes voix ne m'ont pas commandé cela. C'est le royaume qu'il m'est ordonné de guérir.

– En attendant, fais ce que je te dis.

Je refusai fermement.

– Tu n'as qu'un mot à dire à tes saints, pourtant!

– Ce ne sont pas des girouettes, et je ne les ai pas à mon service, ni au vôtre.

Cet homme-là, ennuyé sans doute par son épouse, avait fait cinq enfants à une fille aussi encombrée dans le péché que ma mère dans la vertu.

– Menez une vie chaste, comme je fais, et si Dieu veut, Il prendra soin de vous.

J'étais furieuse. Pour qui me prenait-on? J'eus peur qu'il guérît tout seul et qu'on m'attribuât le miracle, je m'enfuis le plus vite que je pus pour tancer vertement Baudricourt.

– Vous me faites perdre du temps. Il faut que j'aille à Chinon convaincre le dauphin. Pendant que vous tergiversez, le mal continue et la guerre tue du monde.

Je suis sûre d'une chose, petit, ce Baudricourt ne crut jamais en moi, ce pourquoi je ne pus pas me défendre de l'estimer; il fut impressionné par la force de mon caractère. Il pensa peut-être, lui qui aurait voulu se battre et devait toujours négocier, que c'est l'audace qui manquait au pays et qu'après tout il n'avait rien à perdre en m'envoyant au roi. Une fille si décidée ne pouvant pas être chose naturelle, il voulut d'abord me soumettre à l'exorcisme et fit venir un prêtre. Si tu me comprenais, tu penserais qu'il y avait de quoi avoir peur, puisque je mentais. Non: je savais bien qu'aucun diable ne m'habitait, qui risquât de sortir en crachant des blasphèmes. Le mensonge est un péché, ce n'est pas la possession. Je mis genou en terre et reçus pieusement l'aspersion d'eau bénite, après quoi je revêtis les habits d'homme auxquels je tenais beaucoup, car j'allais voyager seule femme parmi quelques soldats pendant presque cent cinquante lieues et, tout modeste que j'étais quant à mes charmes, je me doutais bien qu'on viole plus difficilement une fille en chausses qu'en jupon.

Ah! ce fut le plus beau moment de ma vie! Après, je ne connus plus que défaites et déceptions, sauf quelques heures volées à la peur du roi devant Orléans : sur la route de Chinon, je respirais. J'avais gagné. J'étais sauvée de l'étable, du crottin, du gros ventre, des lessives interminables qu'on étend sur le pré, des confitures l'été et du tricot l'hiver, ainsi que du regard malséant de mon père. J'allais à la bataille, bien assise sur le cheval que Baudricourt m'avait donné, le vent faisait voler mes cheveux coupés court, ma vie m'appartenait, arrachée de haute lutte à la boue de ma naissance, je riais du matin au soir et mes compagnons étonnés y voyaient le signe de ma sainteté, j'avais des ampoules au derrière car je n'avais jamais chevauché si longtemps, mais si elles me faisaient mal ce n'était qu'aux fesses, pas à mon âme qui avait conquis la liberté. Nous mangions des lapins tirés par Bertrand, un archer incroyablement habile, nous les rôtissions comme nous pouvions sur de petits feux et je mordais ma part à belles dents, je buvais mon vin d'un trait comme les hommes et quand je me retirais pour aller pisser, ils me tournaient le dos en faisant des signes de croix, car ils étaient sûrs que Dieu les eût damnés de penser à mon cul. La nuit nous dormions à la belle étoile, nous nous serrions les uns contre les autres sous la maigre couverture et pour la première fois j'appréciais la bonne chaleur des corps. Il ne me parut pas qu'ils sentaient mauvais, cela devait tenir à ce que moi-même je ne me lavais pas et mes doigts étaient aussi gras que les leurs. Bien sûr, je n'oubliais pas de payer quelque tribut à mon personnage, matin et soir je passais un long moment agenouillée, et je dis plusieurs fois qu'il était bien regrettable de ne pas pouvoir entendre la messe, mais cela ne me coûtait guère, j'aurais payé plus cher le bonheur d'échapper à mon destin naturel.

Ouais. J'ai payé plus cher.

Je fus presque triste d'arriver à Chinon, et j'avais raison. Le roi était ennuyé par mon arrivée, Orléans assiégée ne le dérangeait pas, mais cela je ne le savais pas encore, ni que moins les choses bougeaient plus il était content. J'avais hâte de le rencontrer et il avait peur de moi avant de m'avoir vue, il espérait me prouver imposteur et fut bien déçu.

Je montai au château aussitôt qu'on m'y autorisa, je parcourus les galeries de ce pas vigoureux qui me venait de la vie à la campagne et j'entrai gaillardement dans la grande salle où se tenait la cour. Il faut bien te rappeler d'où je venais, petit, pour te figurer le choc que je ressentis et admirer comment je pus le surmonter. À Vaucouleurs, il y avait bien quelques beaux meubles et une ou deux tapisseries : ici, le luxe assaillait le regard, l'ornement déferlait, ce n'étaient que tapis, draperies, tentures brodées sur les murs de pierre, cristaux, candélabres et bougies, une cohorte de femmes et d'hommes vêtus de soie, enveloppés de fourrure, avec des bijoux qui brillaient au moindre geste, ils se tournèrent vers moi et je vis des sourires qui n'avaient rien d'aimable.

Ils étaient debout par petits groupes de trois ou quatre, ils avaient interrompu leurs conversations quand on m'avait annoncée et me dévisageaient, bien droite dans les pauvres habits d'un de ses serviteurs que m'avait donnés Jean de Metz, pas vacillante du tout, j'en suis sûre, bien que je sentisse l'animosité aussi nettement que le cerf poursuivi reconnaît l'odeur des chasseurs. Je compris qu'on voulait me jouer un mauvais tour : dans cette noble assemblée, rien ne signalait le roi, aucun personnage ne se tenait à l'écart ou n'était plus somptueusement mis que les autres : la voyante, l'illuminée allait-elle distinguer son dauphin parmi tous ces beaux gentilshommes ? Ses voix lui diraient-elles devant qui s'incliner ? J'eus peur pendant une seconde, puis je ris intérieurement : ils étaient tous superbement parés, ils me regardaient froidement, on sentait qu'ici saint Michel et sainte Catherine n'impressionnaient pas comme en Lorraine, mais il y en avait un qui s'était posté de trois quarts, à demi dissimulé par une dame encapuchonnée de velours brodé d'argent, et qui ne m'examinait que du coin de l'œil. La consternation s'empara de moi. Quoi, c'était ça l'allié que je devais me faire ! La mine chafouine, le regard qui s'évade, suant de peur, un lâche qui trahit à la première occasion ! Un mouvement de désespoir me traversa et sans ma prudence naturelle j'aurais tourné les talons, mais j'étais au centre de l'attention, la moindre incertitude et on se gaussait de la paysanne aux apparitions, j'étais trop engagée pour reculer sans que la honte me tue. Je me dirigeai vers lui d'un pas résolu qui lui fit sans doute peur car il recula un peu et ne se rasséréna que quand je mis genou en terre. Je sentis que je ne tiendrais pas longtemps avec un si pauvre soutien et qu'il fallait le raffermir au plus vite si je ne voulais pas crouler avec lui.

— Gentil dauphin, lui dis-je, je suis Jeanne, qu'on vous a annoncée.

Il y eut des murmures excités. Les sots! Un seul semblait avoir peur, comment n'aurais-je pas reconnu mon roi!

Il me prit à part.

— C'est donc toi qui cours les routes, vêtue en homme, pour me rencontrer?

Dieu, qu'il était laid! Petit et malingre, il avait la paupière molle, le nez qui tombait vers un menton en déroute, la bouche lippue et un long cou fili-forme qui, si petite que fût sa tête, ne semblait pas assez fort pour le soutenir.

— C'est moi qui suis envoyée pour vous aider à reprendre votre bien.

— Que sait, de ces choses, une petite paysanne?

— Oh! rien, vous pensez bien! Mais ceux qui me parlent et qui me guident savent tout et me disent ce dont j'ai besoin pour vous servir.

— Tout? Cela m'étonnerait.

J'eus un éblouissement. J'avais bien entendu dire que Charles VI était mort fou après avoir, à l'ins-tigation de sa femme, la reine Isabeau, donné sa fille au roi d'Angleterre Henry V, et destitué le dau-phin: je compris d'un coup pourquoi cet homme suait ainsi de peur. Est-ce qu'une mère dépouille son fils sans raisons, et qui mieux qu'elle pouvait savoir s'il était un Valois? Oui, mais on dit que les femmes préfèrent les enfants des hommes qu'elles ont aimés, et un fou bavant sur son trône ne pouvait qu'être répugnant. C'était Catherine, la sœur, qui était le fruit d'un amour illégitime, et celui-ci, faible, presque contrefait, avait été engendré dans le devoir et la vertu, Isabeau l'avait détesté. Mais il doutait. Je fus aussi sûre de moi que si tous les saints du Paradis me dictaient mes paroles :

– Tout, beau sire, et aussi que vous êtes bien le fils de Charles VI, même si la reine, votre mère, préférait votre sœur.

Il sursauta.

– Qui t'a parlé de ça ?

– Sainte Marguerite et sainte Catherine, qui ont le cœur bien en peine de vos tourments.

Je le vis se redresser. Pendant une minute, il sembla courageux. Puis il redevint lui-même, la méfiance noya son regard. Saintes ou pas, après sa mère, il ne devait pas aimer les femmes.

– On verra, dit-il, on verra.

Ils m'examinèrent, de corps et d'âme, pendant bien trois semaines. Pour le corps, on pourrait croire que ce fut vite fait, il suffisait d'y déléguer quelques femmes, mais quand elles eurent été deux à me bien écarter les jambes pour vérifier mon pucelage, je me rendis compte que, aussitôt que j'étais dans ma chambre, elles me surveillaient encore derrière un œilleton : je ne sais pas ce qu'elles espéraient voir, seulement ce que j'offris à leur inspection, qui fut de me laver avec soin car j'ai le goût de la propreté corporelle, de prier matin et soir et de dormir profondément toute la nuit. Un dominicain étudiait mon âme : je n'avais rien à cacher, sauf ce que je t'ai dit et que tu ne sais pourtant pas, petit Anglais innocent, tu dodelines de la tête, tu es fatigué, je le comprends bien car il est tard, mais je n'ai pas encore fini. Je veux, d'ici qu'il sonne matines, avoir tout raconté. Les murs ne m'entendent pas plus que toi, j'espère que mes paroles s'y incrivent mystérieusement, elles se gravent dans la pierre et ne se perdront jamais. J'ai tant rêvé, j'ai tant menti, je suis bonne pour l'enfer, sauf si Dieu est plus intelligent que ses évêques et comprend qu'il fallait en finir avec la tuerie. Mais c'est un Dieu bizarre, vois-tu, qui laisse ainsi fleurir le mal et la corruption régner. Les rois sont soumis à l'intrigue et à l'iniquité : ils devraient pourtant nous donner l'exemple ? C'est ce qu'on disait au catéchisme, j'y ai cru quand j'étais petite : quand j'ai vu Charles j'ai vu qu'on m'avait menti. Alors je n'ai plus eu peur de mon mensonge, j'ai compris qu'il était le quotidien de l'homme et que la vérité est un luxe dont même les rois n'ont pas les moyens. Cette nuit, je me l'offre.

Ils ne voulaient pas aller se battre. Ils me nommèrent chef d'armée, la belle affaire, ils pensaient me leurrer avec une bannière, une épée et un titre dont ils espéraient que cela me ferait tenir tranquille : ils me croyaient semblable à eux, avide d'honneurs ou enfant qu'on trompe en lui donnant un jouet. C'est qu'ils étaient honteux de leur faiblesse, encore vexés de leur dernier échec, la belle journée des harengs où une poignée d'Anglais les avait écrasés, et voyaient en moi celle qui allait de nouveau les confronter à leur incapacité. Mais je n'étais pas comme eux. Ils menaient au combat des soldats levés à contrecœur, mal payés et qui s'occupaient plus de sauver leur peau que la France. Je me fis aimer. Je vais t'expliquer, petit : les hommes sont harcelés par la chair, dont ils ont très peur car on leur a dit qu'elle conduit à la damnation. Toute femme, semble-t-il, les excite, donc ils la veulent et la détestent ensemble, puisqu'elle menace leur âme immortelle. Or moi, avec ce talent que j'ai d'éteindre le désir, je les rassurais. En face de moi, ils devenaient chastes, ils voyaient les cieux s'ouvrir pour les accueillir innocents le jour du jugement, ils entendaient la musique du Paradis, ils pourraient dire qu'ils avaient péché partout, sauf devant une où ils avaient retenu les mouvements brutaux de la chair, et les anges réjouis les prendraient par la main pour les conduire à la droite de Dieu. Ma virginité les ramenait avant le dur prurit, dans l'enfance ingénue qui seule plaît aux curés et dont ils disent qu'elle est la volonté de Dieu. Encore une bizarrerie, n'est-ce pas, puisque s'Il aimait tant ça, il ne tenait qu'à Lui de ne pas affliger Ses créatures du désir, comme Il a fait avec moi, qui prouve que cela peut se faire. Enfin. Il paraît qu'on explique tout cela en disant que Ses desseins sont impénétrables. Moi, je ne vois pas l'explication, mais c'est sans doute parce que je ne suis pas instruite.

Le roi fit enfin réunir une armée et, après deux mois de tergiversations, je pus aller à Orléans, où on m'envoya du mauvais côté du fleuve afin, je pense, de me ralentir. Le vent faillit s'en mêler, qui soufflait à empêcher de traverser et je crus exploser de colère. Heureusement, on était aux derniers jours d'avril, le temps changeait sans cesse, nous pûmes passer et me voilà en ville, acclamée par la foule alors que je n'avais encore fait qu'arriver. Cela m'agaça comme tu peux l'imaginer, car je commençais à comprendre ma situation : le peuple me regardait en sauveur et j'exaspérais le pouvoir. J'allais rendre la France au roi, il ne semblait pas qu'il en voulût, je crois qu'il se serait contenté de la désirer toujours en ne l'ayant jamais sur les bras, mais je n'étais pas de cet avis et il ne pouvait pas s'opposer à moi, qui avais rendu mon intention si publique qu'il se fût révélé traître. Il fut donc bien obligé de me laisser combattre et me fit des obstacles à chaque pas. Je donnais l'assaut, je gagnais, on me disait que c'était assez et qu'il fallait me reposer. Je fus blessée d'une flèche au-dessus du sein, on crut que je pleurais de douleur, c'était de rage car je me disais qu'ils allaient en profiter pour tout arrêter. Le fait est que j'avais fort mal, ce qui me rendait moins allante et l'ardeur des soldats dépendait de la mienne. Quand le Bâtard d'Orléans, qui ne souhaitait rien que rentrer à la maison, me dit qu'il allait commander la retraite, je compris que c'était ma faute et lui demandai un quart d'heure. Je m'en allai au calme, un peu plus loin, pour rassembler mes esprits. J'avais tenté, pour continuer à me battre, d'ignorer la douleur qui me montait dru vers l'épaule. Il m'apparut que c'était une erreur, elle me reprenait sans cesse et me rendait maladroite, il valait mieux m'y habituer. Je m'assis et lui portais toute mon attention. Je n'avais jamais eu de blessure plus grave qu'un doigt entaillé : après tout, ce n'était pas tellement différent, plus vif, plus durable, mais cela guérirait en quelques jours, deux semaines au pire. Ce fut cette pensée-là qui me calma, je me rendis compte qu'avoir mal me faisait peur, que je n'osais plus bouger librement, comme si j'allais me déchiqueter. Je bondis sur mon cheval et courus en avant des troupes, l'étendard à la main, clamant Dieu et mon roi vainqueurs : tous me suivirent, et la bataille fut gagnée. Quand ce fut fini, je vis la Loire pleine de cadavres : moi, j'étais partie en guerre pour arrêter la tuerie, j'étais si sotte et si jeune que je n'avais même pas pensé que j'en ferais tomber un si grand nombre. Cela me désola, je me mis à pleurer sur ces jeunes morts qui ne rentreraient pas chez eux par ma faute, et sur ceux qui mourraient encore dans les combats suivants. J'avais dix-sept ans, j'en ai dix-huit et demain c'est moi qui meurs. Je paie, petit, je paie.

Après, oh ! après... ce fut évidemment la gloire, dont je me moquais bien car elle ne me venait pas de gens que j'estimais. Il y a grande amertume à être admirée par tromperie : on me voyait en sainte, on s'agenouillait sur mon passage, on me tendait les enfants malades et les rosaires pour que je les touche, moi, j'étais bon soldat, téméraire, servie par la chance et déjà détestée par le roi. Dès Chinon, j'avais senti que mon empire sur lui ne durerait pas longtemps, j'avais dit, à tout hasard, que je n'avais qu'un an devant moi : Jargeau, Patay, Troyes, Châlons, je gagnais toujours et plus j'étais victorieuse plus il m'avait en horreur. Quand je paraissais devant lui, il avait un étrange regard à demi voilé, qui me sembla méchant jusqu'au jour où je vis le même chez un chien perdu qui reculait, grondant et montrant les dents. Comme je connaissais mieux les chiens que les rois, je savais qu'il tremblait de peur. J'avais un quignon de pain en poche, je m'accroupis, pour que nos têtes fussent à la même hauteur, ce qui rassure les bêtes, et je tendis le pain en lui parlant doucement. Il n'osait pas s'approcher, mais il ne partait pas et, me penchant, je déposai le pain entre lui et moi : il hésita, puis fit un bond, prit son butin et s'enfuit aussi vite qu'il pouvait, car il voulait bien de ce que je lui donnais, mais pas de moi qu'il ne pouvait pas cesser de craindre pour quelques bouchées. Je me relevai en riant amèrement, j'avais reconnu ce roi pour qui je me battais. Je fis parfois des efforts pour me rendre le cœur plus charitable, je m'expliquais que son père était mort fou, que sa mère l'avait haï : cela ne l'empêchait pas de me détester, et je suis comme une autre, tu t'en doutes bien, je n'aime pas qu'on ne m'aime pas, même s'il me déplaît d'être aimée pour de mauvaises raisons.

Je lui ouvris la route de Reims et, tout réticent qu'il fût, il ne put empêcher qu'on le sacrât. Je le regardais pendant que l'évêque lui posait la couronne : il grelottait de peur et dans sa pâleur je lus ma perte.

Mais en vérité, petit, que serais-je devenue ? Imagine que leur politique m'aurait laissée continuer la guerre ? Je la gagnais, bien sûr, et qu'aurait fait Jeanne la paysanne ? Retourner à Domrémy ? J'avais rencontré mes parents en allant à Reims : mon père, qui aurait dû être rassuré par ma réputation de vierge, avait toujours son regard soupçonneux, ma mère avait sursauté en voyant mes habits d'homme et l'épée que je portais si naturellement.

– Mais qui voudra t'épouser, maintenant ?

Certes, je ne voulais toujours pas de mari, mais elle avait raison, je n'en aurais pas trouvé : j'étais toujours pauvre et sans naissance. Vivre à la cour en capitaine vainqueur ? Sans guerre et sans danger, je ne tenais pas six mois, ils me faisaient assassiner. Je n'avais pas d'avenir, petit : je regardais le dauphin devenir roi, il venait de signer une trêve avec le duc de Bourgogne, oh !, pour quinze jours, mais cela marquait bien son intention. On tenta de me le cacher, mes partisans me le révélèrent : trois mille cinq cents Anglais débarquaient à Calais pour défendre Paris et Charles était fermement décidé à ne pas les affronter. Cet homme-là n'avais jamais d'intention forte que pour ne pas bouger. Je les aurais écrasés, crois-moi, mes soldats se battaient par amour et j'avais vu à Orléans que cela rend un seul homme fort comme dix. C'est peut-être par jalousie que Charles me haïssait, comme si j'eusse été cette sœur que sa mère aimait plus que lui.

Un mois après le sacre, l'armée était dissoute.

C'est alors que je vécus ces trois semaines à Bourges, chez la Touroulde, la seule femme avec qui je me sentis jamais en amitié. Elle me plut par sa véracité, n'est-ce pas étrange ? Moi qui mentais toujours, je fus à l'aise avec cette femme qui ne mentait pas. Ma chasteté l'intriguait et j'étais étonnée par son goût pour l'œuvre de chair, dont je croyais qu'il n'appartenait qu'aux hommes. Elle en parlait si bien qu'elle me laissait toute pensive, elle décrivait des sensations dont je n'avais pas idée et me faisait comprendre certaines paroles d'Hauviette.

– Je ne savais pas que les femmes pussent faire cela pour leur agrément ?

– Est-on si ignorante ! D'où vient, penses-tu, que ce soit un péché ?

– C'est le péché des hommes. Je croyais qu'elles ne sont pécheresses qu'en les y incitant.

Elle enfonçait la tête dans l'oreiller pour étouffer ses éclats de rire. Quand son mari n'était pas là, nous couchions dans le même lit et nous bavardions la moitié de la nuit. Je m'instruisais beaucoup. Jamais je n'avais parlé si librement avec une femme – oh ! en vérité, je n'avais tout bonnement jamais parlé sans me surveiller, c'est ce soir que je le fais pour la première fois de ma vie et je ne m'y risquerais pas si tu me comprenais.

– Mais ce petit bouclé qui s'occupe de ton cheval, et qui a de si jolies dents blanches bien rangées, ne te vient-il pas l'envie de lui passer la main dans les cheveux ? Ils sont si drus et bien propres, moi, chaque fois que je le vois, j'en ai les paumes qui chatouillent.

– Pourquoi ne le fais-tu pas ?

– Je ne peux pas, voyons ! Il irait vite le dire à tout le monde et mon mari serait furieux, je me ferais battre.

– Alors, où est l'intérêt d'en avoir envie ?

Ce qui la laissait sans voix. Elle était si drôle, la bouche ouverte et l'air ahuri, que c'était à mon tour de plonger dans l'oreiller.

– Sainte Catherine et sainte Marguerite permettent que tu ries ainsi ?

– Elles en sont bien aises, car elles n'ont pas beaucoup ri dans leur vie. Elles disent que je les rattrape. Et elles savent que je n'ai plus beaucoup de temps.

– Reste avec moi, au lieu d'aller faire le soldat, et tu seras en sécurité.

– Cela ne m'est pas permis, disais-je gravement.

Ce qui la rendait toute triste, mais comme elle croyait que je parlais des ordres que me donnaient mes voix, elle n'insistait pas. Bien sûr, je pris quelque plaisir à cette vie de loisirs. L'aimable Touroulde me fit coudre une belle robe, je la portai par courtoisie, je n'y étais pas à l'aise. J'aimais marcher à grands pas, faire de rudes plaisanteries avec les hommes et manger assise devant un feu de camp, je ne me voyais pas vivre en dame, allant d'un air retenu et buvant à petites gorgées. Dans mes chausses et mon pourpoint, j'étais franche comme un garçon, plus Jean que Jeanne, et je m'y reconnaissais mieux.

Je commençais à m'énerver, quand on me renvoya enfin à la bataille, en novembre, je n'avais plus rien fait depuis juillet ! Je pris Saint-Pierre-le-Moutier, puis fus tout heureuse d'aller assiéger La Charité-sur-Loire : pauvre de moi ! je n'eus ni vivres ni argent pour mon armée et je dus retourner défaite à

Jargeau où Charles, espérant peut-être me corrompre, me tendit des lettres de noblesse. Il triomphait, je ne pouvais pas les lui jeter à la tête, je les pris genou en terre et je n'ai plus jamais décoléré. J'aurais dû tenter de le manœuvrer, comme y parvenait si bien son cousin de Bourgogne, mais comment fait-on cela ? Moi, je ne sais que me battre ! Quand je sortais d'une conversation avec lui j'avais l'impression de puer et je commis la sottise de l'affronter trop souvent, d'où qu'il n'eut plus qu'une idée en tête : se débarrasser de moi. Je le sentais. Il me regardait avec un sourire entendu :

— Et tes voix, petite, elles ne te disent pas qu'il faut patienter ?

Mes voix ! Tout ce qui parlait en moi me disait d'écraser cet homme comme une punaise venimeuse, mais il était le roi, il possédait le pouvoir dont j'avais besoin pour terminer la guerre. Je lui faisais aussi bon visage que possible, qui ne devait pas être grand-chose car son sourire devenait méchant.

— Tu te battras quand je te le dirai.

Je vis bien qu'il ne me le dirait plus jamais et je fis ce qu'il ne me pardonnerait pas : je partis quand même. À l'aube, avec deux cents hommes mal équipés, aussi silencieusement que nous pûmes sur les pavés inégaux, heureuse quand même de prendre la route, d'y repenser me fend le cœur car je savais bien que j'allais à la mort, mais je ne me doutais pas que ce serait la prison, l'air du matin était bon à respirer, j'avais de nouveau le vent dans les cheveux, comme l'année d'avant quand je croyais encore au bon vouloir des rois, mon cheval comprit que ce n'était pas une simple promenade, je le sentis s'émouvoir et prendre son élan, il avait toute la France sous les sabots, et moi quelques semaines d'illusions.

Pas d'avenir, petit, pas d'avenir. J'avais refusé le destin auquel j'avais droit pour un rêve dont je savais déjà que je n'allais en réaliser que les prémices et, galopant à travers les champs, je sentais que j'étais dans une impasse. Nous allâmes à Melun, à Lagny, puis à Senlis et à Compiègne, j'avais des accès de terrible tristesse dont je ne sortais qu'en me démenant dans la bataille. J'espérais toujours y mourir, des hommes tombaient autour de moi et les coups ne m'atteignaient jamais. Plus d'une fois, un soldat fidèle s'interposa entre la flèche et moi et je lui en voulais de me voler ma mort. Je pleurais sur son cadavre, je priais pour son âme et, en secret, je demandais à Dieu quand Il se déciderait à me punir de mes mensonges. Il prenait tout son temps, me semblait-il, et les saints dont j'avais volé les voix ne Le pressaient pas d'intervenir. J'eus des défaites, je sentais la trahison grouiller autour de moi, j'avais hâte d'en finir et cela décuplait mon courage, je montais aux assauts comme la Touroulde au plaisir et, vainqueur ou vaincue, des larmes de rage me coulaient sur les joues.

Mais tu dors?

Il dort.

Ah! ils dorment toujours quand on va mourir, l'attente leur paraît trop longue, ils ne tiennent pas jusqu'à l'aube. Je ne dormirai plus, moi, petit, accompagne-moi, tu auras tout le temps de rattraper ton sommeil. Ne fais pas comme moi, ne préfère pas ta folie à ta vie. Y ai-je cru pendant un an ? Dans la cathédrale de Reims, quand les orgues du sacre faisaient vibrer les hautes voûtes, il m'a semblé que c'était ma messe d'enterrement que j'entendais. Réveille-toi ! Ce qu'il a le sommeil dur, cet enfant-là, réveille-toi, hé oui !, c'est moi qui te secoue, il faut faire ton devoir, tu es là pour surveiller la sorcière, l'hérétique, la relapse, pour t'assurer que Béhémoth ou Belzébuth ne vient pas l'enlever pendant la nuit ! c'est ça ! frotte-toi les yeux, cherche ton arme, crains-moi, ne dors pas. Tu es jeune et tu vivras, moi qui suis jeune, je me suis condamnée à ne pas vivre. L'évêque croit que c'est lui qui a décidé ma mort, peut-être même en aura-t-il des remords, il dormira mal et nul ne viendra jamais l'innocenter, lui faire connaître que je l'ai manœuvré, poussé à bout autant que j'ai pu car je n'en pouvais plus de désespoir.

Ne te rendors pas. Je vois bien que tes paupières s'alourdissent. Tu avais sans doute l'habitude de dormir, les autres nuits, quand je restais bien tranquille : cette nuit-ci, j'ai besoin de ne pas être seule. Tu ne peux pas savoir comme le mensonge isole, on vit entourée de gens qui vous parlent, mais à qui s'adressent-ils ? Personne ne m'a admirée pour ce que j'étais : une fille téméraire qui pense comme un homme. Et voilà que je mourrai vêtue en femme, moi qui n'aurai été ni fille ni femme et qui, à mon grand regret, n'étais pas faite en garçon. Et si je l'avais été? Né dans mon village, crotté comme j'étais crottée, ignare et sagace, je te le dis, petit, cela n'aurait pas mieux tourné. J'aurais pris les mêmes décisions. Imagine ça sérieusement : j'ai dix-sept ans, j'arrive avec mes voix, oh! on finit par m'écouter, bien sûr! Vaucouleurs, Chinon, Orléans, le sacre, et toujours la trahison, car même si c'eût été un garçon qui le poussait, Charles serait resté le même, ce fou qui préférait trembler tout seul à prendre appui sur quiconque. Arrêté, je suis jugé et je me fais condamner car je n'ai toujours pas d'avenir. La politique se moque bien que je sois fille ou garçon, en Angleterre, elle veut la France, et si c'est Charles qui la mène, il ne s'agit que de se dérober au combat. On m'oubliera vite, petit, qu'est-ce qu'une fille qui a fait du bruit pendant un an? Et je ferais bien de renoncer à moi-même avant l'aube si je veux garder quelque dignité pour monter droite au supplice. Je mourrai en priant, car à l'instant de paraître devant Dieu il faut se détourner du monde et de ses rancunes, sans quoi je leur cracherais à la face, je leur dirais tout mon mépris, race de lâches sans honneur, traîtres avides de jouissances, parjures et hypocrites, j'ai gaspillé ma vie comme si j'en avais dix de rechange et, même si j'ai horriblement peur du feu, je ne la regrette pas vraiment. Comment m'en serais-je servie? Mille fois j'ai retourné cela dans ma tête, je n'ai jamais rien pu imaginer par-delà la victoire. Sans doute est-ce qu'il n'y avait rien, car personne ne peut prétendre que je manque d'imagination! Pense à moi, fillette à la campagne, qui réfléchis, construis, déploie et exécute! Ah! quand j'étais dans ce champ, expliquant les voix à mon petit frère, et qu'il m'écoutait les yeux écarquillés! À l'autre bout de mon histoire, c'est la forteresse de Margny, moi qui cours protéger la retraite, je veux sauver les autres et qu'un coup me renverse l'arme fichée au cœur, j'espère tomber les yeux bien ouverts pour voir ma mort en face, mais un traître me prend par le bas de ma tunique et me fait choir étourdie, quand je veux me relever, je suis entourée d'ennemis qui ricanent, la rage me prend, je lève mon épée, on me l'arrache et tout est terminé.

Le reste ne vaut pas la peine que je te le raconte. Je ne me suis dédite qu'une fois, et pas pour longtemps, je ne sais pas ce qui m'a prise, sans doute une déraisonnable envie de vivre. Ils ont essayé de m'empoisonner: bien dommage qu'ils m'aient manquée!

On dit que parfois la fumée étouffe le condamné avant que le feu ne l'atteigne. J'espère que Dieu me fera cette grâce. Il sait bien que, même si j'ai menti comme une forcenée, je n'ai jamais eu que d'honorables desseins. Je ne Lui demande pas la vie sauve car j'en serais tout embarrassée. Je vais mourir, petit. Je ne sais pas quel visage j'aurais eu, vieille femme. Certaines sont ridées, d'autres qui deviennent bien grasses ont les joues comme de grosses pommes où on aurait envie de mordre. Moi, je n'aurai plus de visage, je ne serai qu'un petit tas carbonisé, informe, il ne reste pas grand-chose à enterrer de ceux qu'on brûle. N'est-ce pas bien triste: j'ai dix-huit ans, je suis en bonne santé, intelligente comme il ne devrait pas être donné à une fille, et le seul destin qu'il me soit possible de désirer est la mort. Tel est ce monde, il n'a pas de place pour moi, ce qui fait que je ne peux même pas dire que je le quitte à regret. Je crois que j'aurais aimé étudier, il semble qu'il y ait beaucoup de choses à apprendre, mais pour cela il fallait ne pas naître comme j'ai fait. Garçon ou fille, c'était sans espoir. Peut-être m'en serais-je mieux tirée en étant princesse, j'aurais chevauché joyeuse parmi mes vassaux, je ne me serais pas mariée, on y aurait vu un caprice de grande dame, ou j'aurais épousé quelque vieillard déjà impuissant qui m'aurait vite laissée veuve et maîtresse de mon sort, je me serais occupée de mes neveux et je serais morte contente, entourée de leur affection. Garçon dans une famille noble, héritier du nom et des terres, dans mon impatience à régner, j'aurais un peu tué mon père qui s'éternisait ici-bas, comme je sais qu'on fait parfois, à moins que, l'étude étant permise aux fils, j'eusse préféré devenir savant pour observer le mouvement des étoiles. Je n'ai pas pu me soumettre à l'histoire morose qui m'était allouée. Je voulais inventer ma vie.

Voyez-vous ça ! La fille au Jacques et à l'Isabelle !

J'ai tout manqué.

IV

L'éternité

À mes filles.

Sous le maquillage, les coiffures étudiées, derrière les sourires, je cache un visage de paysanne aux pommettes larges et le dur regard calculateur qu'il faut pour étudier le ciel, les champs et les promesses de la récolte. J'ai des millénaires d'inquiétude dans le sang. Les graines germeront-elles bien cette année, y aura-t-il assez de pain et quand l'hiver viendra et qu'il faudra s'enfermer autour du poêle, aurons-nous assez de bois ? J'ai peur des lendemains, car on n'a pas de pouvoir sur les vents, sur les pluies ni sur les animaux sauvages qui viennent tout saccager. Les enfants construisent des épouvantails et les plantent dans les labours, mais les oiseaux se moquent d'eux. Je regarde la vie se dérouler et je sens la brièveté des choses. Tout est durable, sauf moi. À l'horizon, on voit les premiers contreforts des montagnes : je n'y suis jamais allée car je n'ose pas cesser de veiller sur la maison et la famille, on m'a dit qu'elles sont si hautes que leurs sommets se perdent dans les nuages et que les neiges n'y fondent jamais. On m'a dit aussi que le soleil n'est pas éternel, qu'il est comme une immense flambée qui durerait très longtemps. Depuis, je suis méfiante. Un moment vient toujours où la bûche est brûlée. Du soleil et de moi, qui aura la vie la plus longue ? S'il me survit, qu'en sera-t-il de mes enfants ? Comment se chaufferont-ils si l'hiver ne cesse jamais ? Il faut penser à tout : sans printemps, il n'y aura plus de nouveaux arbres et après quelques générations ce sera le désert. Je regarde ma cheminée : elle est grande et tire bien, elle est faite à tenir des siècles, on pourrait, une branche à la fois, y consumer des forêts entières. Et après ? J'ai peur pour ma postérité. Mes enfants auront des enfants, qui auront des enfants. De mes flancs, ce sont des lignées qui seront sorties pour essaimer sur la terre et le soleil devra les protéger.

Les hommes de ma famille me disent que j'ai tort de m'inquiéter, qu'ils veilleront à tout. Je feins de les écouter. Ils n'ont pas d'imagination. Ils affirment que, si le soleil s'éteint, ce sera dans si longtemps qu'il ne faut pas y penser et que les enfants de nos enfants auront bien chaud. Mais après ? Je me sens responsable pour toutes les générations qui seront issues de moi. Je serai poussière depuis des millénaires que mes enfants courront toujours et je voudrais bien savoir ce qu'on fera pour eux. Il paraît qu'il y a d'autres soleils. Nous partirons, disent mes arrière-petits-fils que j'ai élevés à penser plus loin que la saison suivante. Nous construirons des astronefs et nous nous en irons parmi les galaxies. Nous ne laisserons pas se perdre ton sang. Tu battras toujours dans nos veines et quand le premier blé aura poussé sur une autre Terre, nous le récolterons en pensant à toi et nous cuirons un pain auquel nous donnerons ton nom. Nous le partagerons pour que chacun puisse en avoir une bouchée. Ce sera un très grand pain, car nous serons très nombreux. Dors en paix : tu n'auras pas enfanté pour rien.

Alors je m'apaise et je regarde le long cortège de mes descendants défiler dans mes rêves. Je rejoins mes ancêtres et nous considérons notre œuvre. Ils sont derrière moi, les enfants sont devant, jusqu'à l'infini, lente cohorte qui traverse l'éternité. Je viens des premiers hommes, je vais au bout du temps.

V

La Parleuse

À Jean Bégoin.

Je ne sais pas ce que je dis. J'entends le bruit de ma voix, je sens vibrer mon larynx et ma langue se mouvoir, mais je ne connais pas les mots que je prononce. Autour de moi, une foule agenouillée écoute, baignée dans ma parole, des larmes coulent sur les joues, je vois des vieillards pâmer sous l'excès d'émotion. Je ne m'interromps jamais, il semble que je ne mange ni ne dorme, je dois être le lieu d'un miracle. J'aimerais bien me comprendre : les aveugles ouvrent les yeux, les paralytiques s'assoient, les analphabètes lisent et des femmes prennent leurs enfants et les élèvent jusqu'à ma bouche pour les tenir un instant au plus fort des vibrations. On voit alors ceux qui pleuraient se calmer, les convulsions se dénouent, certains qu'on croyait morts se sont redressés et sont partis jouer. Certes, ma parole doit faire un bien extrême à ceux qui la reçoivent et j'en tirerais le plus grand profit, mais je ne connais pas le langage dont je me sers et nul ne se soucie de me l'enseigner. Est-ce qu'un traducteur obligeant ne pourrait pas se poster à mes côtés et chuchoter à mes oreilles, pour que je participe à la bénédiction que je dispense ? Il semble que personne ne se doute de la privation que j'endure, je voudrais la dire, mais je ne suis pas maître du discours qui s'échappe inexorablement de moi. Il ne m'est pas possible de me taire. Si on me donnait du papier et un crayon je pourrais écrire un message : hélas ! quand je ne peux pas contrôler ma voix, comment puis-je espérer contrôler ma main ? Et d'ailleurs : écrire ? mais en quelle langue ? Plus je réfléchis, plus je désespère, et j'entends bien que je parle toujours. Nulle fatigue ne s'empare de moi, la force qui m'habite est insensible au temps, sans doute ne mourrai-je jamais et je suis enfermée dans ce destin effroyable où je vois que ma parole enchante les foules sans que j'en puisse aucunement jouir.

VI

Le triplement des filles

Je ne suis jamais allée à Venise. Je n'ai vu ni le palais des Doges, ni la place Saint-Marc, ni les canaux. Sans doute n'irai-je pas, car je suis vieille et fatiguée depuis si longtemps que je ne suis pas sûre d'être encore en vie. Et puis : Venise ? Où est-ce ? En quel siècle faut-il se rendre pour être à Venise ? Où trouve-t-on les robes de satin rose et jaune de Canaletto, les gondoles et les amants ? Je marche à petits pas dans de maigres jardins, je mange un peu de légumes et je bois un verre d'eau avant de m'endormir : il me semble qu'à Venise on lance des serpentins et que les bruits de la fête traversent la nuit. Quand j'étais jeune, j'ai dû rêver de Venise, d'une échelle de soie et de murmures qui m'enflammaient, mais je ne m'en souviens pas bien. Que sais-je encore de moi ? La nuit, des visages peuplent mes rêves, dont il ne me reste pas grand-chose au matin. Parfois je m'éveille en pleurs et je trouve une femme à mes côtés, qui me passe un linge frais et humide sur le front. Elle me dit que j'ai encore eu un cauchemar, mais qu'il fait jour et qu'il n'est plus nécessaire que je dorme. Je suis toujours satisfaite que la nuit soit finie, mais je ne sais pas trop pourquoi. Elle me fait lever, me conduit au lavabo où elle me lave les mains et la figure. Il n'y a pas de miroir au-dessus du lavabo et cela me trouble toujours, je suis tout à fait sûre que d'habitude on en met un. La femme dit que je n'en ai pas besoin et qu'elle s'occupera de me peigner. Il est vrai qu'elle brosse attentivement mes cheveux et qu'elle passe une pommade grasse sur mon visage, car j'ai la peau très sèche et qui tire. Après, elle me tend des habits, il me semble que ce sont toujours les mêmes, une robe de coton bleu, des bas épais et des chaussures à talons plats. Ce n'est pas une toilette pour aller à Venise. Puis elle me conduit dans une grande salle où d'autres femmes vêtues avec aussi peu de recherche que moi sont assises. Les unes tricotent, d'autres lisent, certaines ne font rien. Je m'assieds et je m'ennuie. Parfois on me propose un ouvrage de dame ou un livre, que j'accepte toujours aimablement et que je pose sur mes genoux jusqu'à ce qu'on vienne les retirer. À mon arrivée dans la salle, je ne suis pas toujours guidée vers le même siège, il y en a un d'où l'on tourne le dos aux fenêtres de telle sorte qu'on peut voir, sur le mur d'en face, un grand tableau qui représente Venise. À l'avant-plan, à droite, une femme à son balcon regarde un homme debout dans une gondole et qui semble chanter. J'entends bien : Venise est la ville des amours, on y va en étant très jeune et dans un autre siècle, quand la gondole a des rames et que le bruit du moteur ne risque pas de couvrir la voix du gondolier. Je vois bien que le style du tableau est du début de mon siècle et que les habits sont dans le genre ancien. Je n'ai jamais vécu dans le siècle où est Venise parce que Venise est depuis toujours dans les siècles passés.

Il n'y a pas grand-chose dans mon histoire, l'un ou l'autre crime, peut-être, depuis longtemps oublié et que j'expie encore. J'ai un air de grande innocence. Si j'avais fait le voyage à Venise, ce n'eût pu être qu'au lendemain de mes noces, l'âme encore parée de tulle blanc et de fleurs d'oranger, au bras d'un époux intimidé par son nouvel état. Je me vois bien en jeune mariée qui a relevé son voile pour porter une coupe de champagne à ses lèvres, sous l'œil attendri des familles. Après, ce sont les grossesses, les balais et le dos qui fait mal. Mais je n'ai pas été mariée. La seule cérémonie à quoi j'ai participé fut ma communion solennelle et je n'en étais pas la vedette puisque nous étions trois sœurs jumelles. Nous portions les mêmes robes et notre mère avait veillé à nous faire exactement les mêmes coiffures. L'une de nous avait un bouton sur la joue, que Maman couvrit de crèmes, de pommades et de fards jusqu'à ce qu'on ne le vît plus. Elle détestait qu'on pût nous différencier. Il lui fallait une seule fille en trois exemplaires, à quoi mes sœurs ont été, me semble-t-il, plus dociles que moi. Quand on la félicitait sur notre similitude elle rayonnait, on voyait l'artiste comblé d'éloges, grandi par la beauté de son œuvre. Mesure-t-on le travail, l'attention quotidienne, la précision méticuleuse qu'il faut pour maintenir trois filles exactement identiques ? La différence s'insinue vite, c'est une terrible bataille que de lutter à la fois contre la nature et la société. Tout les rendrait dissemblables, une tache de varicelle, un zéro sur dix en orthographe, une flèche dans les bas. Nous ne portions jamais de vêtements reprisés, un trou jetait trois robes, mais comment faire pour les compositions françaises ? Il n'était pas permis de rendre le même devoir. On nous demandait régulièrement si nous préférions le désordre à une injustice, s'il fallait suivre l'amour ou le devoir, ou de décrire un matin de printemps et si Maman avait lu nos travaux, elle n'aurait pas vu trois fois la même chose. Prudente, elle ne faisait que les regarder : si nous avions bien la même écriture et le même nombre de lignes, elle était satisfaite. Ainsi cachions-nous des contenus différents dans le même emballage. Notre mère défendit-elle, en nous élevant, la thèse que l'hérédité organique prime sur l'histoire personnelle ou bien enragea-t-elle si fort d'avoir trois enfants d'un coup qu'elle en nia deux ? Oui, mais lesquelles ? Qui pouvait exister et servir de modèles aux autres ? J'imagine des paroles impossibles : ma sœur aînée est grande et mince, avec une chevelure noire très frisée, on n'a jamais compris d'où la cadette pouvait tenir ses taches de rousseur et ses yeux verts et regardez-moi !, a-t-on jamais vu trois filles aussi dissemblables dans la même famille, alors est-il pensable que ce soient des triplées ? Mais si je décris l'une, je décris aussi l'autre et moi-même, un seul portrait suffit pour le tout. Quand nous avions besoin de photos d'identité, une seule y allait et faisait tirer la quantité nécessaire. Je crois que nous n'aurions eu qu'un seul prénom si la loi l'eût permis, mais Papa qui ne cherchait jamais qu'à plaire à Maman arrangea les choses : nous avons toutes les trois les mêmes prénoms dans un ordre différent. Nous nous nommons Sidonie, Cora et Aline, puis Aline, Sidonie et Cora et enfin Cora, Aline et Sidonie. Avec les autres combinaisons on aurait pu fournir, au total, six filles, mais notre mère n'eut pas d'autres enfants. Elle craignait les quintuplés :

– En deux portées, huit petits ! Je ne suis pas une chienne, disait-elle le soir en fermant à clé la porte de sa chambre devant Papa confus.

Je dis je, mais Maman disait vous et je devrais dire nous puisqu'il n'y a pas de singulier triple. J'ai tout à coup la tête qui tourne, il me semble que je viens d'écrire une chose si étrange qu'elle me fait vaciller. Un singulier triple ? Il paraît que quand on est ivre on voit double, j'ai dû vivre soûle devant un miroir. Notre mère ne nous disait jamais tu, c'était vous et les trois prénoms dans un des six ordres possibles, de sorte qu'il se pouvait qu'aucun des trois alignements corrects ne fût prononcé et, par exemple, si elle avait appelé Sidonie-Aline-Cora chacune de nous aurait pu déclarer que cela ne la concernait pas, et de plus parfois notre mère avait la langue qui fourchait, on entendait Sidona, Corin et Aline, ou Alain, Coranne et Sidona, suivis de rectifications hâtives qui ne retombaient pas tout de suite sur un des trois ordres réellement alloués et nous disions en même temps «ce n'est pas moi» dans un synchronisme si exact que toute individualité s'y perdait opportunément. On ne nous désignait par un seul des prénoms qu'en classe où nos professeurs, exempts du projet de notre mère, tenaient à nous différencier. Ils nous inventèrent des particularités : Cora était au premier banc, Sidonie à droite et Aline au milieu. Mais nous changions toujours de place, simplement celle du premier banc disait qu'elle était Cora. On nous soupçonnait, je l'ai souvent senti, mais comment s'assurer de la supercherie ? Un jour, l'une d'entre nous se fit une forte coupure au pouce en taillant son crayon au cours de dessin : Ah ! tu es celle des trois qui a le pouce entaillé ! Mais nous n'osâmes pas rentrer ainsi et choquer notre mère : une autre d'entre nous dévissa la lame du taille-crayon et, avec un soin et une précision extrême, entailla les pouces intacts. Maman poussa des cris, chercha les désinfectants et le sparadrap, nous fûmes ramenées à la similitude.

Cela fit scandale. On nous ôta les pansements, on examina les plaies. Personne ne pouvait douter que deux des trois coupures eussent été faites exprès. Les questions déferlèrent : qui avait coupé qui ? pourquoi ? quels monstres étions-nous ? qui avait décidé cela ? qu'est-ce que nous voulions ? qui croyions-nous duper ? Une seule des coupures était légitime : laquelle ? Aucune de nous ne pouvait expliquer l'obligation de couper, nous sentions bien qu'on nous aurait accusées de traiter notre mère de folle et nous restâmes muettes, tellement embarrassées que nous devînmes embarrassantes. On se détourna de nous. Nous étions d'excellentes élèves, bien notées, exactes, sérieuses, les professeurs trouvèrent refuge dans la qualité de notre travail pour se défaire du malaise que nous avions créé. Si notre père avait été surpris de nous voir toutes les trois le pouce emmailloté, il n'en fit rien paraître.

Nous étions trois pour un seul corps, en vérité nos âmes étaient différentes. Je sais qui je suis, où je suis et laquelle je suis puisqu'il suffit que je dise je pour m'en informer. Je suis celle qui dit je. Cela est clair. Je ne distinguais pas mes sœurs l'une de l'autre et aucune de nous ne distinguait les deux autres. Si, au cours d'une soirée, nous n'avions pas changé de place, je pouvais, par exemple, me souvenir que celle qui était à ma droite aimait Chateaubriand et l'autre pas, qu'elle trouvait confortable d'être assise en tailleur et préférait le riz au lait à la crème renversée, mais ensuite à laquelle appartenaient ces goûts ? Dans la soirée la plus intime, passée en chemise de nuit sur le grand lit de notre chambre, nous devions veiller à maintenir notre similitude car notre mère pouvait à tout instant entrer. Nous avions des automatismes : Attention, ton bouton est à demi détaché et pas le nôtre !, ou : Tu as une trace de chocolat autour de la bouche et pas nous. Nous ne nous nommions jamais les unes aux autres car aucune de nous n'était sûre de son prénom, dès la naissance on nous avait confondues. La première fois qu'un professeur avait dit : Cora se mettra au premier banc, laquelle de nous y était allée ? Nous n'en savions plus rien. Tout le monde croyait que nous connaissions notre identité et que c'était un jeu d'embrouiller les autres : chacune savait seulement que je est je.

– Qui es-tu ?

– Je suis moi.

– Tantôt, était-ce toi qui aimais Chateaubriand ?

– Oui.

– Alors, c'est toi qui hier, n'aimais pas Saint-Exupéry ?

– Non, ça c'est moi.

Mes sœurs avaient des goûts dont je peux me souvenir, parfois semblables aux miens et parfois opposés, mais je ne sais pas du tout comment ils se répartissaient. Je devrais dire *ma* sœur. Ma sœur s'est fait une coupure au doigt et ma sœur effrayée par la dissemblance que cela faisait naître a entaillé son pouce, puis ma sœur a entaillé le pouce non coupé de ma sœur. L'idée n'était pas née de moi, voilà qui est clair. Certes, je n'aurais pas osé confronter Maman à une différence, mais ma sœur était plus prompte que moi à prévoir et à préserver notre mère. Ma sœur était deux, mais à quoi me sert-il de m'en souvenir puisque nous ne sommes plus que moi ?

C'est que, tout de même, la nuit, j'en avais toujours une à droite et une à gauche, et nous cachions à notre mère que nous avions des places fixes. Nous dormions dans le même lit, plus large que long quand nous étions petites, carré ensuite, que Maman avait fait fabriquer sur mesures. J'étais au milieu et chacune avait son côté habituel, j'avais toujours la même du même côté. Je peux me rappeler que le soir nous parlions dans le noir et, en faisant un grand effort, retrouver que l'âme de droite était différente, plus nette, plus ferme que celle de gauche qui avait des timidités, une hésitation, un désir discret d'être approuvée. C'est si peu de chose : deux violons taillés en même temps, par le même luthier, dans le même tronc d'arbre, le musicien le plus fin s'y tromperait.

La fantaisie de nous maintenir toutes les trois semblables parut d'abord charmante. Nous étions aux douze ans quand l'incertitude flotta dans les regards, un jour où Maman disait :

– Je suis tellement inquiète. Imaginez qu'elles ne fassent pas leurs pubertés en même temps !

C'était un dimanche, au déjeuner. Il y avait nos deux tantes et leurs maris, peut-être des cousins ? Tante Adèle fronça les sourcils :

– Mais pourquoi cela devrait-il t'inquiéter ?

– C'est qu'elles seraient différentes, au moins un moment ! Elles se ressemblent si mignonnement ! Ce serait tellement dommage !

Ce fut tante Maryvonne, la sœur de Papa, qui lui répondit :

– Mais, ma pauvre Élise, forcément qu'elles seront différentes, et de plus en plus ! Maintenant qu'elles grandissent, elles vont avoir leurs goûts personnels, se coiffer chacune à son idée, choisir d'autres couleurs pour s'habiller !

– Il n'en est pas question ! Je ne permettrai pas cela, dit Maman avec beaucoup de force. Ma fille doit se ressembler.

C'est là qu'il y eut un moment d'étrangeté, un vertige, un vacillement, ce fut comme un voile trouble qui passait sur la table que je ne quittai pas des yeux, les radis pâlirent, le vin frémit dans les verres, on vit le pain rassir et la salade fut sur le point de faner.

Papa sursauta :

– Ta fille ?

Puis piqua du nez dans sa soupe.

Il n'en fut pas dit plus, à peine si j'eus le temps de capter un bref échange de regard entre Adèle et Maryvonne qu'on parlait déjà de la crise et du temps, ces sauvegardes des familles en danger. Ni mes sœurs ni moi n'y revînmes et Maman continua de nous surveiller attentivement. Elle trouva la parade aux pubertés mal synchronisées en déposant dans notre armoire trois paquets de serviettes hygiéniques.

– Ce sont des choses dont il ne convient pas qu'on parle. Vous les utiliserez quand il faudra, et vous veillerez à ce qu'il y en ait toujours trois paquets. J'assurerai une réserve dans la cave, où vous n'aurez qu'à vous fournir.

Ainsi fut réglée la question de la puberté, mais Maman nous avait injustement soupçonnées, nous eûmes nos premières règles le même jour, les trois paquets furent ouverts en même temps et jusque dans la culotte nous restâmes identiques. Nos seins apparurent, nos poils poussèrent au même rythme, le vin ne trembla plus dans les verres et nulle parole imprudente ne fut prononcée. Le mari de Maryvonne eut une promotion et emmena sa femme en Afrique. Adèle se disputa avec Papa pour une affaire d'héritage et ne vint plus déjeuner. La paix régna. Nous nous ressemblâmes furieusement tout au long des années.

Mais quel travail! Et les difficultés! Dans les boutiques, il n'y avait pas toujours trois fois le même vêtement dans la même taille. Maman donnait de l'argent à l'une de nous en disant:

– Achetez-vous un chandail.

Admire-t-on la formule? Un chandail pour les trois ou chacune un chandail? Un pluriel grammatical couvrait souvent notre unicité fantasmatique.

– Ces temps-ci, vous êtes un peu maigre.

Ou maigres? Comment savoir? Naturellement, nous avions exactement le même poids et Maman veillait à ce que nous mangions exactement les mêmes quantités. Deux tartines et un bol de lait le matin, aucune de nous, même si elle avait un mouvement d'appétit, ne pensa jamais à demander davantage de légumes ou de dessert, ou à refuser de finir sa portion: c'eût été forcer les autres à manger plus qu'elles ne désiraient, ou à jeûner, puisque Maman aurait poussé dans les autres assiettes une troisième tartine ou ôté le restant de steak. Notre mère devait être une excellente diététicienne, car nous n'étions, en vérité, jamais maigres – maigre? – mais toujours minces.

Nous devînmes très suffisamment jolies. La fille de Maman avait le cheveu châtain, épais et qui tombait en belle nappe lisse sur la nuque. Les yeux étaient de ce gris-bleu qui devient très profond quand on noircit les cils. Un fin trait au crayon brun soulignait le bord de la paupière inférieure. Je portais volontiers la jupe droite ou le blue-jean qui soulignait la finesse de nos hanches. Maman nous laissait le choix de nos habits car elle pensait qu'il faut donner de la liberté aux filles. Nous ne disputions jamais sur ce sujet – ni sur aucun autre –, ce qui allait à l'une allait à l'autre. Nous trouvions le moyen de nous accorder sur les couleurs en favorisant les goûts communs. Nous aimions le bleu et pensions que le rose ne nous seyait pas, même si l'une trouvait la couleur belle en soi. Nous n'affichions jamais la diversité – modeste – de nos esprits devant notre mère car, même si elle se souciait principalement de notre apparence, il était évident que la désunion l'eût troublée.

Vers dix-sept ans, nous commençâmes à sortir. L'usage du temps était à de petites soirées, des fancy-fairs, qu'avant la guerre on nommait sauteries et certains bals nous étaient accordés si nous rentrions à une heure du matin, minuit faisait démodé depuis qu'aucune fée n'intervenait sur les toilettes. Nous eûmes beaucoup de succès. Nous étions gracieuses et bien mises, certes, mais j'arrivais toujours à trois. Si la fille qui apparaît plaît, si elle a une bouche qui semble appeler le baiser, une chevelure qu'on dénouerait, avec nous c'était chaque fois trois fois. Le désir multipliait le garçon. Il avait trois fois plus d'émoi et voulait d'un coup trois femmes comme une seule, ou une comme trois, allez vous y retrouver ! Notre apparition faisait tout éclater, les musiciens perdaient la mesure ou l'aiguille dérapait sur le disque. Dans la carte du Tendre, le fleuve Inclination devenait un torrent, l'inondation emportait les murs légers de Petits Soins, on était jeté par la tornade dans les *Terrae Incognitae*. Venise n'est pas faite pour la tempête, où les gondoles chavireraient et les amants mourraient noyés parmi les pétales de roses. Nous arrivions comme un cataclysme. Nos jeunes gens n'étaient pas vêtus de satin mais de jeans délavés, ils levaient les yeux vers nous qui entrais, vers moi qui entrions, et comme ils me voyaient trois fois ils perdaient l'équilibre. J'avais toutes le même sourire conscient de son triple pouvoir et de mes mains droites je rejetais gracieusement nos chevelures en arrière. Nous avancions lentement, savourant les émois que je déclenchais, ils devenaient ivres et chancelaient vers nous. Quand ils disaient:

– Voulez-vous danser?

Ils ne savaient ni à qui ni à combien de filles ils parlaient. Une foule de garçons s'offrait à notre choix et nous aussi cela me soûlait. Ce fut une époque prodigieuse où nous tirâmes des plaisirs exquis de notre triplement. Pour la première fois, Maman nous sentit vraiment ses complices et une entente délicieuse nous réunit toutes les deux, Maman et nous. Nous sortions ensemble, c'étaient des quêtes pleines de fous rires pour trouver trois fois le même collier et, quand une dissemblance accidentelle surgissait, notre mère rassurée s'en amusait avec nous car elle ne craignit plus, pendant toute une année, notre indifférence à ses vœux.

Ensuite, tout est ma faute.

Je n'affolai pas impunément. Plus jeunes, nous avions confusément senti que nos âmes n'étaient pas les mêmes, mais entre les exigences de l'école et celles de Maman, nous n'avions pas eu beaucoup de temps pour la réflexion. Quand nous soulevâmes la tempête de désirs où nous nous sommes abîmées, nous fûmes de nouveau trop occupées pour nous comparer. Le soir, après la fête, nous nous commentions nos succès et Maman, rieuse, se relevait et venait à deux heures du matin écouter nos récits. Papa eut-il l'air inquiet ? Je ne sais pas, je ne faisais jamais attention à lui.

Maman nous avait expliqué ce que les filles doivent savoir, mais l'enseignement le plus attentif ne contient pas l'indicible. On ne devrait jamais laisser les choses sans mots. Un soir, dansant avec un jeune homme dont je n'ai pas d'autre souvenir précis, je fus traversée par une sensation qui ne m'est jamais revenue ensuite. Comment cela peut-il se décrire ? Qui me dira ce que c'était ? Peut-on avoir le corps parcouru par le vent ? Existe-t-il un raz de marée qui passe, revient, délivre et enchaîne ? Quelque chose fut en moi, qui n'avait pas ma forme et qui m'habitait exactement. Viens, me dit le garçon, qui m'entraîna dans une chambre écartée où il baisa mes lèvres et de nouveau toutes les herbes de la toundra se couchèrent sous le vent, dans le désert les dunes flottèrent lentement. Après, je sais pas. Il y a quelques images incroyables de corps nus qui s'enroulent, un long feulement, une serviette tachée de sang, de l'effroi dans les yeux du garçon qui sort hâtivement en enfilant de travers son chandail. Je m'assis, pensai à ce que j'avais fait et n'en fus pas contente.

Mon humeur, au retour, ne s'accorda pas à celle de mes sœurs. Je fis ce que je pus pour n'en rien montrer, mais il y avait trop de familiarité entre nous pour que j'évite quelques regards perplexes. Maman, qui était insomniaque, prenait toujours des cachets pour dormir, ce soir-là ils avaient agi et elle ne nous entendit pas rentrer. Nous ne bavardâmes pas longtemps, je nourrissais peu nos propos.

Après quelques jours je crus qu'il ne me restait, de ce simoun, qu'un peu d'agacement, un petit pincement qui parfois me nouait le ventre et puis qui s'en allait. Mais le jour des règles vint, mes sœurs saignèrent et moi pas : c'était bien au ventre.

La différence s'était inscrite dans mon corps. En vérité, je le savais depuis le premier soir, je ne suis pas sotte, mais elle était invisible et je pouvais la masquer à Maman comme nous masquions toujours la diversité de nos esprits. Quand mes sœurs allèrent à l'armoire ouvrir les paquets de serviettes, je fus traversée par le cataclysme. Je sentis la pâleur de la mort me glisser sur la peau. Les continents dérivèrent pendant des millénaires, spectatrice épouvantée je les vis se diriger l'un vers l'autre, et en une seconde qui dura cent millions d'années ils se rencontrèrent et se fracassèrent. Je rejoignis mes sœurs et installai dans ma culotte ce que l'on nommait encore la garniture périodique.

J'eus quand même de l'espoir pendant quelques heures. Cela ne s'était jamais produit, mais ne pouvions-nous avoir un léger décalage ? Était-il absurde d'imaginer que l'émotion m'ait désynchronisée ? J'écoutais mon vagin : rien. Je ne sentis jamais le glissement soyeux du sang, je restai sèche, c'était le désert et le vent avait tari toutes les rivières. Les heures se succédèrent, français, mathématiques, géographie, je vis se faner ma vie, ma mère dépérir et mon ventre enfler. Un effroyable sursis commençait, qu'il m'appartenait de prolonger comme je pouvais. Mes sœurs ne devinèrent rien. Je les suivis régulièrement aux toilettes et à la salle de bains, il ne me fallut pas beaucoup d'habileté pour dissimuler la trace de mon péché, le témoin inexorable, la serviette immaculée. Il me semblait que mon corps était bouché, un barrage retenait l'eau, le niveau montait lentement, mon ventre allait se distendre et celui de mes sœurs resterait plat. Comment fait-on sauter les digues? Il me vint de terribles réflexions, je compris que tant que Maman vivrait nous devions rester vierges et que nous ne devions jamais enfanter. Le mariage, déjà, aurait menacé notre similitude car en ne vivant pas côte à côte comment aurions-nous pu nous imiter sans cesse? Cela demandait une attention constante et les maris, sans aucun doute, nous eussent distraites. Mais les enfants? Même en étant enceintes ensemble, même en synchronisant nos filles et nos garçons, au mieux en épousant des triplés identiques, je connaissais assez de biologie pour être sûre que nos enfants ne seraient pas semblables et qu'ils ne différencieraient. Maman était charmée par nos succès : il fallait qu'ils fussent sans suite. Le voyage de noces et Venise n'étaient pas pour nous. Notre mère n'était notre aînée que de dix-neuf ans et malgré ses nuits blanches elle était vigoureuse. Nous aurions cinquante ans, elle toucherait aux soixante-dix et surveillerait avec inquiétude l'apparition de nos premiers cheveux blancs et

136

nos ménopauses. Il fallait se flétrir au même rythme et synchroniser nos tavelures.

Ce jour-là je compris qu'il n'y avait qu'un destin pour trois filles et que j'étais une voleuse. Comment rendre à ma mère sa fille unique ? Désormais, nous étions deux : mes sœurs toujours identiques, et moi qui étais autre. J'avais trahi. Je me sentis amputée de ma droite et de ma gauche par mon milieu bouché. J'étais assise devant, donc j'étais celle qu'on nommait Cora, c'est pourquoi je n'aime plus beaucoup ce prénom-là, c'est avec lui que j'ai perdu mes sœurs. La peau de mes côtés était arrachée, je sentais mon corps se vider des liquides qui font vivre, de mes épaules à mes pieds des fontaines de sang jaillissaient et coulaient au sol, deux ruisseaux serpentaient, l'un vers les fenêtres, l'autre vers le couloir, c'était une horrible hémorragie qui laissait mon ventre fermé, je saignais de partout et mon vagin restait sec.

Après quinze jours, ma poitrine gonfla. Je le sus au réveil, avant de m'être vue. Mes sœurs dormaient encore, j'étais couchée sur le dos dans l'odeur de nos trois corps, la mienne allait-elle changer ? et je tâtais mon ventre d'un geste déjà machinal quand je sentis le poids de mes seins. J'avais les mamelons durcis et la peau distendue. Oh ! ces instants terribles où l'on voit sa vie en face, où le verdict est irrévocable ! Au cœur de moi la mort grandissait, elle s'emparait de toutes mes cellules qui cédaient l'une après l'autre à son empire. J'étais dépossédée, déshéritée de moi-même, exilée.

Je me mis à avoir faim sans cesse, la mort était vorace et il n'était pas question, bien sûr!, de prendre une bouchée de plus que ce que Maman m'allouait. Peut-être, ainsi, je grossirais moins vite? Mais les seins? les seins? Comment les cacher? C'était l'hiver, la mode était aux grands chandails flous, combien de jours y gagnerais-je? Que me restait-il?

C'est après six semaines, à la fin du deuxième cycle blanc, que Maman me tutoya pour la première et la seule fois de ma vie:

– Mais tu as grossi!

Que dit-on? Que fait-on? Où cache-t-on un corps envahi? Pouvais-je dire que je n'y étais pour rien, que j'étais un pays occupé, qu'on avait franchi mes frontières et qu'il fallait que je sois libérée? Mais la question n'était pas là! Ça, c'était le recours des filles qui n'ont qu'un corps, moi·j'en avais trois et l'un d'eux ne m'appartenait plus. Qui se souciait de l'envahisseur qui me dévorait? Il était question de la fille de notre mère qui ne se ressemblait plus à cause d'un vent chaud dont on ne lui avait pas dit qu'il était mortel. Je crois que les Berbères peuvent traverser le simoun, emballés dans de sombres tissus qui préservent leurs orifices du sable qui entre dans les narines, se glisse le long des bronches et va obturer les alvéoles pulmonaires, l'air n'arrive plus au sang, on meurt étouffé avec les poumons dilatés, ou si j'ai rêvé tout ça et que tant que la tempête dure ils s'enferment dans leurs tentes, aveugles et sourds, insensibles au dehors menaçant? Le sable était entré en moi, il avait bouché tous mes capillaires et je ne perdais plus mes liquides, mes seins et mon ventre enflaient comme des abcès, j'avais le corps empoisonné et mes sœurs allaient en mourir.

– Crois-tu ? dis-je à ma mère dont le regard s'était assombri.

Après quoi, un grand calme tomba sur moi. Il n'y eut plus jamais de vent, même pas une brise qui fît frissonner les surfaces gris-bleu des lacs, dans la forêt les oiseaux se turent, je crois qu'ils sont tous morts, et j'entrai dans le silence.

Je pris l'acide sulfurique et la pince de verre dans la classe de chimie, le flacon n'était pas grand et se cachait fort bien au fond du cartable. La hache était dans l'appentis où Papa rangeait ses outils. Il s'en servait rarement, mais comme il avait beaucoup d'ordre je la trouvai tout de suite. Mes sœurs ne me virent pas la dissimuler dans le tiroir de la commode, sous les blouses de coton que nous ne porterions pas avant l'été.

Nous avions toujours dormi dans le même lit, comme les enfants de l'Ogre dans le conte du Petit Poucet, aussi avions-nous pris l'habitude de ne pas être dérangées dans notre sommeil par les mouvements des autres. Je me levai doucement et allai prendre la hache. Je revins, m'agenouillai sans bruit entre elles et portai deux coups nets qui leur cassèrent la tête. Elles n'eurent, chacune, qu'un bref tressautement.

Après quoi, je lavai soigneusement la hache, Papa avait horreur qu'on ne tienne pas les outils très propres. Puis je pris un tampon entre les extrémités de la pince, le trempai dans le vitriol et enduisit soigneusement les visages de mes sœurs. L'effet fut rapide et spectaculaire. Il ne restait que mon propre visage à détruire, ce que je fis devant le miroir de la salle de bains en étant très attentive à préserver mes yeux de toute atteinte. Plus tard, on me posa beaucoup de questions sur la douleur, mais il n'y en eut pas, ce que, de toute évidence, on trouvait anormal. Je n'y avais pas pensé et il n'arrivait, ce soir-là, que ce que je décidais. Quand j'eus fini, je me rendis chez Maman, elle ne dormait pas encore et vint ouvrir en grognant.

Par la suite, il y eut un grand désordre, des cris terribles, des sirènes d'ambulances, toutes sortes d'inconnus qui parcouraient la maison en tous sens, mes souvenirs sont confus. Je crois que l'agitation qui régnait me rendit nerveuse.

La maison où je vis est entourée d'un jardin. On n'en peut pas sortir. Mais où irais-je ? J'y vis tranquille, parmi des femmes silencieuses. La diversité de leurs visages m'étonne toujours et je ne me lasse pas de définir leur disparité. Je prends un agrément inlassable à comparer les dessins des bouches et j'admire que l'étirement plus ou moins marqué d'un ovale puisse produire tant de différences. Je reste des heures à comparer les arrondis des joues, je considère la distance qu'il y a entre le sourcil et le rebord de la paupière supérieure : d'un personne à l'autre, ce n'est pas deux fois la même ! Je ne me doutais pas qu'il y avait tant de formes de visages, tant de couleurs d'yeux. Je ne ressemble à personne et les gens ne se ressemblent pas entre eux. L'une

des femmes m'agace car elle a les cheveux châ-
tains et les yeux gris-bleu, mais elle est grosse et
moi je suis fort maigre. Parfois je lui parle, je lui
demande de me dire son poids, mais elle ne répond
jamais et semble très effrayée quand je l'approche.
Je ne comprends pas pourquoi, je m'adresse toujours aux gens avec une grande politesse, surtout
quand il s'agit de personnes âgées dont on m'a
expliqué qu'elles sont souvent susceptibles. Il y a
très longtemps, Papa est venu quelque fois me voir.
Il me regardait étrangement : il est vrai qu'au début
j'avais toujours le visage couvert de bandages à
cause de toutes sortes d'opérations qu'on me faisait. Quand je lui demandais des nouvelles de
Maman, il répondait qu'elle était très malade. Je
proposais de lui rendre visite, mais on me disait
que je ne pouvais pas sortir de ma chambre. Il vint
d'autres personnes qui déclaraient être médecins ou
magistrats. L'un d'eux m'expliqua qu'il voulait
définir mon degré de responsabilité.
  – À quel propos ?
  – Dans la mort de vos sœurs, répondit-il.
  – Je les ai tuées, ne vous l'a-t-on pas dit ?
  Ce qui sembla étrange, c'est qu'il n'y eut jamais
de procès. Je croyais pourtant que les criminels
vont aux assises. Il est vrai que ma vie s'est arrêtée quand j'avais dix-huit ans et j'ai dû rester fort
ignorante. Après mon arrivée dans cette maison-ci,
je vis encore mon père deux ou trois fois. Il me
semble que ses cheveux blanchissaient. Sans doute
est-il mort de vieillesse et Maman aussi. À présent
je dois être fort âgée, j'ai les mains noueuses et des

douleurs d'articulations. Plus personne ne vient pour moi. Je pense que Maryvonne avait des enfants, qui sont mes cousins, mais on a dû éviter de leur parler de moi. On ne répond guère aux questions que je pose et, à part la femme qui me passe un linge humide sur le visage les matins où j'ai eu des cauchemars, en général on ne me parle pas. Cela ne me gêne pas car je n'ai moi-même pas grand-chose à dire et je craindrais d'être mauvaise partenaire pour la conversation. Je passe de longs moments à regarder le tableau qui représente la place Saint-Marc. Je suis très calme. Il me semble que ma mémoire s'embrume et que mes souvenirs s'étiolent. Mais à quoi sert de me rappeler le passé ? Venise est perdue dans le temps, avec ses gondoles et mes sœurs. Où sont passés les siècles ? Pourquoi ne puis-je pas retourner dans la chambre claire où dormaient les filles de l'Ogre, avec nos trois prénoms nous aurions pu être six couchées côte à côte dans le large lit, un drap brodé montant jusqu'à nos épaules, nos chevelures mêmement éparses sur les oreillers.

Mais cinq coups de hache ! Cinq coups de hache !

La multiplicité des filles plaisait à Maman. J'ai lu un jour que tout ce qui nous est arrivé est inscrit dans ces millions de cellules qui forment notre cerveau : où sont les moments de ma vie, à quelle porte dois-je frapper pour que s'ouvrent devant moi Venise et les bras de mes sœurs, pour que retombe le terrible vent qui a tout emporté ?

Je porte trois prénoms et je leur réponds, quel que soit l'ordre dans lequel on les prononce, mais je ne réponds jamais quand on n'en dit qu'un seul. J'exige qu'on me nomme Mesdemoiselles Opinel et j'interdis qu'on m'adresse la parole au singulier. C'est ainsi que je conserve ma triplicité.

Une chose m'intrigue : tout de même, quand j'ai tué mes sœurs, j'étais enceinte ! Qu'est-il advenu de l'enfant ?

VII

« Ô lac, l'année à peine
a fini sa carrière... »

Depuis quelques années, mes amants ont vieilli.
Ils ont des rides, leurs cheveux grisonnent, leurs
forces diminuent et parfois, je les vois mettre la
main dans le dos quand ils se redressent comme
s'il fallait qu'ils se poussent, et geindre. C'étaient
de si beaux jeunes hommes qui riaient fort, dan-
saient jusqu'au matin et ne s'endormaient qu'épui-
sés par l'amour : maintenant, ils vont à petits pas
cassés, ils essuient leurs lunettes avant de me regarder, ce ne sont plus les violences du désir qui leur
brouillent la vue, mais la presbytie. Où sont les
amoureux ? Que dois-je faire de ces vieillards ?
J'entends au loin la musique du bal et je vois passer les jeunes filles parées de fleurs, elles se hâtent
pendant que mes hommes prennent des cachets
pour le rhumatisme, le cœur ou l'emphysème. Moi,
je remplis des bouillottes pour la nuit. Ils sont exi-
geants, tatillons, l'eau doit n'être ni trop froide ni
trop chaude et ils n'admettent pas les raisonnements
les plus simples. Quand je leur dis que moins la
bouillotte est chaude plus vite elle refroidira, ils
grognent que je lésine sur le temps que je leur
consacre et que je ratiocine pour masquer mon

impatience. Bientôt, ils auront raison. Il faudrait en mettre certains à l'hospice. Ils ne veulent plus manger tout seuls, ils pissent au lit, même! L'un d'eux ne me reconnaît pas quand je le rejoins le soir pour dormir et m'appelle maman. Hier, j'ai pensé à suivre les jeunes filles, mais j'ai vu que toutes mes robes de bal sont démodées. Où diable ai-je eu la tête, ces dernières années? Pas une toilette possible, les mites les ont mangées, les couleurs ont fané, même les papiers de soie dans lesquels on les avait emballées sont tombés en poussière. Je crois qu'à force de m'occuper de mes vieux époux j'ai oublié ma jeunesse. Si cela se trouve, dans ma distraction, j'aurai laissé venir les rides? Là, sur le dos de ma main gauche, n'est-ce pas une tavelure? Où sont mes amants? Je vais dire aux servantes de jeter dehors ces vieillards ronchonnants, avec leurs camisoles Damart et leurs caleçons trop larges, qu'elles aèrent les chambres et qu'elles aillent chercher au village des enfants mâles en bonne santé, qui ne soient pas trop loin de la puberté. Je suis patiente, j'attendrai qu'ils mûrissent, mais je suis lasse de ces amants grincheux qui me parlent de leur prostate. Jadis, ils me parlaient de moi. Je me voyais dans leurs paroles, où j'étais belle, ils sont devenus de très mauvais miroirs. Cette maison a ranci, elle sent le moisi, elle a des remugles de vieux linge jamais bien lavé. Il faut qu'on jette tous ces vieux hommes usés dont on ne peut plus rien faire et qui me donnent l'impression de vieillir. C'est qu'au train où ils vont, je courrais à la mort! Il y en avait un, l'autre matin, qui râlait sur sa couche, il était

tout bleu et bientôt son cœur a cessé de battre. Je
me suis fâchée : que puis-je faire d'un cœur qui ne
bat plus pour moi ? Heureusement on s'est hâté de
l'emmener, mais je n'arrive pas à l'oublier aussi
vite que je voudrais. Alors, j'ai ordonné qu'on les
ôte dès qu'ils s'abîment trop et du coup la maison
m'a semblé déserte. Ils s'étaient pressés partout,
joyeux, se disputant la place dans mon lit, ils étaient
si nombreux, j'aurais cru que je n'avais pas assez
de chambres : à peine si j'en croise encore dans les
corridors, il y a des pièces où on n'en trouve qu'un,
assis sur une chaise, le regard vide et qui ne me
voit même pas passer. Vais-je ordonner qu'on le
jette ? À quoi servirait-il de le garder ? Ce n'est plus
un amant, mais une allusion à un amant, la trace à
demi effacée des égarements, la poussière du souvenir. J'aime mieux faire place nette. Tirez les
rideaux, ouvrez les fenêtres, il faut qu'on sorte les
tapis pour les battre, qu'on lave tous les draps de
lit et qu'on les étende au soleil sur la pelouse.
Ensuite, jetez toutes les tasses ébréchées, les cas-
seroles qu'on ne peut plus ravoir, mettez des fleurs
fragiles dans les vases et sortez des coffres toutes
mes toilettes de fête. Ce soir, je dînerai seule en
robe de satin blanc, vous disposerez les couverts
d'argent sur la table d'ébène et vous préparerez un
grand repas de fortes soupes, de gros rôtis aux
lourdes sauces, car on sonnera et ce sera sans doute
mon nouvel amant, empressé et radieux, il aura
l'immense appétit qui prélude à l'amour. Et si c'est
une femme enveloppée de voiles noirs, avec la main
noueuse et une faux sur l'épaule, ne la laissez pas

entrer, dites-lui que personne n'habite plus ici, que tous les amants sont morts et que la maison n'est plus qu'une coquille vide.

VIII

L'amour filial

Morceau pour anthologies.

Le cadavre de ma mère est assis sur le sofa du salon.

Elle a les yeux mi-clos. J'avais pensé à lui fermer les paupières, mais je ne pus me résoudre à la toucher. Elle avait toujours eu horreur de cela. La lampe posée sur une table basse à côté d'elle ne fait plus briller son regard. Elle sourit. Elle avait bu son porto et attendait en me parlant qu'on annonçât le dîner, quand elle fut interrompue. Sans doute une idée fine lui était venue à l'esprit, son sourire ne m'était pas destiné, ma mère ne souriait jamais qu'à soi-même. En fille attentive, j'attendais qu'elle formulât sa pensée. Depuis qu'elle avait vieilli, il arrivait que les mots lui résistassent et si sa repartie était toujours percutante, elle se construisait plus lentement. J'avais suspendu ma pensée pendant qu'elle préparait ses paroles, les lèvres entrouvertes, jouissant déjà de ma surprise heureuse quand je l'entendrais. L'attente me possédait tout entière mais comme j'ai toujours été une enfant docile, je ne m'impatientais pas. Je vis fort bien sa main gauche qui était posée sur l'accoudoir se détendre et glisser le long de sa cuisse et ne m'en inquiétai pas car je savais que quand ma mère se concentrait profondément il pouvait arriver qu'elle oubliât sa mise en scène et laissât un geste se dérouler au hasard, fût-ce sans grâce. Elle en était vexée. Mon devoir était de respecter sa pudeur et de détourner mon regard. Sa main resta ouverte sur la cuisse, paume en l'air. Elle détestait que ses attitudes n'eussent pas de sens et celle-ci me gênait beaucoup, elle donnait une impression de désordre. J'étais sûre que dès qu'elle aurait trouvé l'agencement de mots qui lui convenait, elle reprendrait le gouvernement de sa main et je me demandais si elle la ramènerait nonchalamment sur l'accoudoir ou si elle la dresserait, les doigts en semi-tension désignant quelque objet – qu'il fût l'objet imaginaire dont elle me parlerait ou un objet réel sur lequel elle désirerait attirer mon attention. Il me sembla que le temps de réflexion était fort long et je me dis avec inquiétude qu'elle avait peut-être franchi un nouveau palier vers cette dislocation de soi qui faisait le médecin hocher sinistrement la tête. Je m'attachai à garder le regard détourné. Une ou deux fois déjà elle avait eu de ces brèves absences : au retour j'avais vu son coup d'œil sagace et scrutateur, pour ne pas la blesser, j'avais pris un air distrait. Ma mère était une femme coquette et l'âge ne lui avait laissé que son âme à parer, elle la soignait d'autant plus jalousement. Elle était épouvantée par les pertes de mémoire, par les mots qui se chevauchent, passent en désordre ou n'arrivent pas. Elle surveillait sa syntaxe comme elle avait fait sa ligne, en ennemie à qui il ne faut rien passer. Assise parmi les coussins de velours, immobile : je croyais qu'elle avait un instant d'égarement, elle avait cessé de vivre.

Je mis plusieurs minutes à me rendre compte qu'elle ne respirait plus. Elle était dans une immobilité profonde, la main ne se refermait pas, le sourire esquissé se figeait. Des mots se mirent à résonner dans ma tête, répétés à l'infini, miroirs parallèles où le sens se détruisait puis renaissait malgré moi : *il me semble qu'elle est morte,* leur rythme créait un temps particulier, une boucle où l'étonnement croissait et retombait interminablement. Puis le sens pratique que ma mère m'avait appris à cultiver reprit son pouvoir sur moi et je me dis qu'à la cuisine, on devait se poser des questions. Je résolus de m'y rendre et d'informer les domestiques qu'ils pouvaient se retirer, qu'il n'y aurait pas de dîner ce soir. Ils avaient l'habitude de ses caprices et de ma docilité, ils ne firent pas de commentaires. Après quoi, je retournai prendre ma place au salon. Il y eut quelques bruits de vaisselle, des tintements de verre et d'argenterie qu'on range, des rires étouffés, puis on ferma les portes et le silence s'installa.

Il y avait quarante ans que ma mère habitait ce grand appartement. J'y suis née. Elle le faisait régulièrement repeindre dans les mêmes tons gris perle accordés aux gris des rideaux de velours. On n'y voit que des meubles d'ébène, car elle ne supportait aucun autre bois, sauf pour les Boulle, et des tableaux du XIXe siècle dont elle avait peu à peu constitué une fort belle collection. Il y a un Manzoni et des Laurens dans le salon. Son goût allait aux scènes de genre, elle voulait que le satin et les cheveux fussent bien rendus. Elle disait que le plus grand bonheur de sa vie avait été la découverte d'un Meissonier dans une salle de ventes de province. Tous les soirs, en allant dîner, elle s'arrêtait devant lui un instant, le regardait avec émotion et approuvait son choix. Les petits projecteurs qu'on place sous les tableaux pour les éclairer lui faisaient horreur – il y a des gens qui arrangent leur maison comme on fait les musées ! – mais il fallait beaucoup de lumière pour mettre la peinture en valeur et elle avait fait installer un immense lustre de cristal et une dizaine de lampes sur les tables basses. C'est l'une d'elles, posée à ses côtés, qui allumait cet éclat dans ses yeux de morte. Elle ne portait jamais de noir, dont elle disait qu'elle aurait l'air, ayant cessé d'être belle, de porter son propre deuil, ni de couleurs claires qui ne lui paraissaient pas de nature à flatter son teint, mais des robes grenat, vert bouteille ou d'un violet très profond : ce soir c'était de la soie sauvage aubergine. Un col montant cachait son cou et de longues manchettes ses mains. Ma mère, en vieillissant, était devenue très maigre et on peut supposer que la peau de son corps était flétrie. La chirurgie esthétique avait préservé son visage et un coiffeur habile assurait la couleur de ses cheveux. Il ne lui avait jamais paru nécessaire que je connusse son âge, je savais seulement que je n'étais pas un enfant de sa jeunesse, je me disais qu'elle devait avoir passé les quatre-vingts ans :

même la lumière puissante du salon ne dénonçait rien. Maintenant qu'elle était morte, il se pouvait que j'eusse à examiner ses papiers et cette perspective me déplaisait. Elle m'avait montré quel tiroir du grand secrétaire laqué dans le genre japonais les contenait : elle n'en retirait jamais la clef, tout juste tournée dans la serrure, tellement elle était sûre que personne – et certes pas moi ! – n'enfreindrait ses ordres. C'était une femme à qui on obéit.

– Toutes mes dispositions sont prises, m'avait-elle dit, ma fortune est organisée pour durer au-delà de moi, tu n'auras à intervenir d'aucune façon. Il suffira que tu ne modifies rien et tu vivras dans l'aisance. Je craindrais tes initiatives, aussi me suis-je arrangée pour qu'elles ne soient pas nécessaires.

Je sentis une grande vague de tranquillité se déployer en moi, je me dis que j'étais encore jeune et que je n'aurais qu'à suivre les instructions de ma mère pour être riche. Depuis longtemps j'avais compris que, pour mon malheur, je partageais certains de ses goûts sans avoir ses talents. Elle avait voulu m'apprendre l'indépendance : cela avait fait de moi une femme qui gagne médiocrement sa vie. Certes je payais le loyer de mon logis et je me nourrissais à condition de ne pas manger trop souvent de viande, mais je n'avais pas de Manzoni. Je possédais quelques économies, où ma mère maniait des capitaux. J'ignorais tout à fait comment on bâtit une fortune, ce qui ne me paraissait pas important puisque ma mère l'avait su. C'est sans doute une chose habituelle qu'une génération énergique produise des âmes passives.

Je regardais ma mère assise sur son canapé et la phrase inachevée résonnait encore en moi : je ne connaîtrais jamais les mots qu'elle n'avait pas eu le temps de prononcer. Je fis plusieurs fois le tour de l'appartement, je contemplai longuement le Meissonier et le Manzoni, les commodes Boulle, la pendule aux nègres, tous les biens que désormais je possédais : je cherchais à les préférer aux paroles que je n'avais pas reçues et qui laissaient en moi un vide brûlant. Ma mère n'avait préféré aux objets que ses paroles et j'avais, depuis ma naissance, été son auditeur le plus attentif.

J'étais arrivée après sa beauté. J'étais destinée à l'admirer, tâche dont je me suis toujours acquittée avec soin, car elle m'avait élevée dans le respect du devoir filial. Je n'eus jamais d'autre projet pour moi-même que de lui obéir. Elle m'avait dit :

– Après ma mort, tu ne toucheras à rien.

À neuf heures, après une réflexion méticuleuse, j'appelai son médecin habituel. Il me déplaisait profondément que quiconque la vît dans l'état où elle était, mais je savais que certaines formalités étaient obligatoires. Je pris le téléphone et dis d'une voix tremblante que ma mère ne bougeait plus, ne parlait plus et qu'il ne semblait pas qu'elle respirât. Il me répondit de ne pas m'affoler et qu'il serait là dans les dix minutes. En attendant, il me conseillait de la dégrafer et de l'étendre. Il n'était pas question que je modifiasse sa position ni que je touchasse à sa toilette, aussi me fis-je, au moment de lui ouvrir la porte, une mine d'épouvante et d'inefficacité. Il se dirigea, l'air affairé, vers la chambre à coucher.

– Non, dis-je, elle est au salon.

– Mon Dieu ! mon Dieu ! soupira-t-il dès qu'il la vit, et il resta planté devant elle en hochant la tête.

Aucun doute ne le traversa, il ne sortit même pas son stéthoscope et ne prit pas son pouls, ce qui me rassura car je craignais que la peau fût déjà tout à fait froide.

J'étais restée derrière lui, manifestement tremblante et discrètement attentive. Il marmonna des choses confuses, se pencha suffisamment pour bien voir le visage légèrement incliné et effleura quand même la joue d'un doigt furtif.

– Ma pauvre enfant, dit-il en se redressant, tout est fini.

Il convenait que je marquasse la surprise. J'inspirai profondément, fermai les yeux une seconde et ne dis pas un mot. La mimique devait être adéquate, il prit un air de compassion.

– Je vous présente mes sincères condoléances.

J'inclinai un peu la tête, avec une sobre dignité.

Il regarda autour de lui et vit le secrétaire dont l'abattant était toujours ouvert. Il y alla, attira une chaise et s'assit en posant sa serviette sur la fragile tablette. Je frémis.

Ma mère tenait les secrétaires pour des meubles absurdes : ils sont faits pour qu'on y écrive, mais le poids des coudes pourrait les casser et ils sont toujours plus beaux quand on les laisse ouverts. Aussi ne le fermait-elle jamais et elle avait horreur qu'on l'approchât. J'eus un sursaut en voyant le médecin s'y installer comme à une table ordinaire.

Certes, elle eût empêché cela par quelque réflexion acerbe : hélas ! je n'ai jamais eu sa force de caractère, il ne me vint rien à l'esprit. Elle attribuait mes timidités à l'influence regrettable de mon hérédité paternelle et déplorait qu'une femme ne pût pas faire ses enfants par parthénogénèse, sûre que sans les gênes de mon père j'aurais eu plus de vigueur morale.

Le médecin sortit des papiers de sa serviette, choisit un formulaire et se mit à certifier, dans les formes légales, que ma mère venait de mourir de mort naturelle. Il me demanda si j'avais idée de l'heure où la chose s'était produite, je dis qu'elle avait arrêté de parler à neuf heures moins le quart. Je savais que je mentais, sans doute d'une heure, mais je ne voulais pas qu'il s'interrogeât. J'avais terriblement tardé à l'appeler et je m'en gourmandais, sachant que dans les situations aiguës il faut aller vite.

Il signa, cacheta et je fus officiellement orpheline.

– Elle a eu une belle mort, me dit-il, et qui était bien dans son caractère. Elle n'a jamais été femme à traînailler, elle expédiait tout avec promptitude. À quoi servent les longues agonies, je vous le demande ? Mais c'est un choc pour les proches.

C'était un homme qui, à l'inverse de moi, connaissait à fond la liste des choses qu'il convient de dire en toutes circonstances.

Il me regarda alors d'un air attentif. Comme je me savais coupable, je sentis que j'allais rougir. Je me dis que, s'il était arrivé que ma mère lui parlât de moi, il ne s'en étonnerait pas, car elle me décrivait aux autres de la même façon qu'à moi-même, comme une femme incapable d'acquérir les manières du monde. Mais ne l'eût-elle pas fait, j'étais éloquente à voir : mon chemisier de Prisunic au col bien boutonné et ma jupe plissée grise me donnaient à connaître au premier regard. Il était dans mon personnage de rougir si j'étais l'objet d'une attention soutenue, je ne surprenais que si cela n'arrivait pas. Ma mère me fit savoir très tôt que j'avais le cheveu terne, un port timide et les pieds plats. Les dénégations obstinées de l'ortho-pédiste ne la convainquirent jamais, elle soutenait que les pieds plats sont une affaire morale et que je n'avais, de toute évidence, pas de cambrure. Je me laissai donc rougir à loisir sous le regard du médecin, il eut l'air embarrassé, je vis le moment où il trébucherait en se relevant de la chaise, mais tout se passa bien, il me tendit le certificat et referma sa serviette.

— Il faudra porter cela à l'hôtel de ville.

— Je sais, dis-je, pensant que je ne devais pas char-ger mon jeu et marquer un excès de désarroi, il croi-rait que son devoir était de se porter à mon secours.

Et là, l'esprit tout occupé par la nécessité de doser correctement mon attitude, je fis une chose incroyable : j'approchai du secrétaire et en relevai l'abattant.

J'en eus le souffle coupé. Je me sentis basculer et, pendant un instant effroyable, je connus que ma mère était morte. Jamais je n'avais fait un geste qu'elle désapprouvait sans qu'il fût aussitôt remarqué et critiqué avec précision, et voilà que je refermais le secrétaire, contrevenant à toutes ses instructions. Voulant qu'il restât ouvert et qu'on ne le lui cassât pas, ma mère interdisait qu'on l'approchât, j'avais souvent vu des gens sursauter à sa voix autoritaire qui ordonnait de s'écarter. Et moi je n'avais rien dit, je le refermais sans avoir réfléchi, sans avoir formé un choix conscient, juste pour éviter d'avoir à formuler une interdiction ! Or je décidais cependant ainsi d'occuper une autre position que celle où ma mère s'était mise ! À peine était-elle morte depuis une heure, et depuis trois minutes déclarée décédée, je lui désobéissais, moi qui avais mis ma fierté à être docile ! J'avais cru être faite selon ses lois : à la première distraction, j'en enfreignais une. L'empreinte n'était donc pas plus forte que cela ? N'étais-je qu'une apparence de docilité et sous un vernis fragile verrais-je se dessiner une femme rebelle, insoumise et qui pensait par soi-même ? Je me sentis comme traversée par un vent glacial.

Le médecin ne remarqua rien, pas même le geste interdit. Probablement ma mère ne le recevait pas dans le salon et il ne connaissait pas ses habitudes. Je désirais ardemment rabattre la tablette, mais je m'en abstins pour ne pas sembler incohérente.

Il eut quelques paroles confuses où j'entendis le mot funérailles.

— Ma mère m'a dit qu'elle avait pris des dispositions très précises, je suivrai ses volontés dès que j'en aurai pris connaissance.

— C'est parfait, dit-il, c'est parfait.

Je souhaitais qu'il partît et je voyais bien qu'il était retenu par quelque obscur scrupule. Je n'ai qu'une pauvre connaissance du monde, mais j'ai beaucoup lu et cela peut compenser la faible pratique de la réalité. Je me rendis compte qu'il ne savait pas comment quitter cette fille qui restait seule avec un cadavre. Je pris les devants, le guidai vers la porte en expliquant que j'avais des coups de téléphone à donner et que, pour cela, j'irais chez une voisine obligeante qui aurait certainement à cœur de me donner l'hospitalité. Pensait-il qu'il fût séant de laisser ma mère seule un moment? Il affirma que oui, que la vie continue et sembla très soulagé. Je lui tendis la main en disant que je devais préparer quelques effets. Il se retira.

Je n'allai évidemment chez aucune voisine, mais il est vrai que j'avais des dispositions compliquées à prendre. Je retournai au secrétaire, je savais exactement où trouver ce qu'il me fallait. Si ma mère n'avait jamais été une femme hésitante, elle avait aimé jouer avec les projets et je l'avais plus d'une fois vu prolonger le jeu jusqu'à l'extrême limite. Ainsi, elle s'était plu à rêver de se faire enterrer à Lantier, le village de sa naissance, et aussi dans le beau cimetière de Lisseweghe où se trouvaient ses ancêtres maternels. Elle avait échangé des courriers avec les pompes funèbres des deux endroits, en leur relatant comment elle balançait entre les deux décisions, de sorte qu'aucun ne serait surpris par l'intervention de l'autre. À dix heures, tout était réglé et je pus retourner m'asseoir devant elle.

Quand je dis que je suis arrivée après sa beauté, ce n'est pas une image, c'est une description des événements. Elle n'entendait pas me la passer et en resta toujours la gardienne attentive. Le moment venu où les plaisirs qu'elle en tirait allaient décroître, il lui sembla que son nouvel état s'accommoderait bien de la maternité. Elle épousa un bel homme, de bonne naissance, qui pourrait transmettre à l'enfant qu'elle en aurait un nom de bonne qualité : pour la fortune, elle y pourvoirait. Elle avait formé le projet d'avoir une fille : on voit comme, d'emblée, j'étais soumise à ses vœux. Après la cérémonie de mariage et la procréation, elle ne garda pas longtemps le mari qui avait rempli son office. Il fut envoyé dans les Ardennes pour y surveiller l'exploitation des forêts qui sont à présent les miennes et y mourut quand j'avais douze ans. Avant quoi, je le voyais tous les mois : le chauffeur me conduisait là-bas pour l'heure du goûter, mon père me faisait faire le tour du jardin et me montrait l'état des fleurs, après quoi on me ramenait en ville.

Elle fut une excellente mère, ce qui n'étonna pas ceux qui la connaissaient, elle faisait tout en perfection. Je suis née à une époque où les pédiatres prônaient le biberon toutes les trois heures, sans dérogation ; elle haussa les épaules en disant que si l'humanité avait atteint le XXe siècle sans horloge, sa fille mangerait quand elle avait faim, ni avant, ni après. Dix ans plus tard, on l'admirait et elle souriait en disant qu'elle avait toujours eu le sens de l'avant-garde – en effet, elle avait acheté du Napoléon III quand tout le monde en était encore au Louis XVI – et qu'il n'y a pas de mérite à ne pas donner dans une sottise. Je fus donc nourrie à mon gré et devins propre quand il me convenait. On lui prédisait qu'elle me gâterait le caractère, mais il semble que je tins à la soutenir devant ses détracteurs car je devins une enfant parfaite. Je fus ravissante jusqu'à la puberté, très bonne élève, aimable, prévenante, joyeuse, une petite fille de conte de fées, la gloire des méthodes modernes, et on s'inclina devant la supériorité de ma mère. C'est quand il eût fallu que j'acquisse une personnalité propre que j'achoppai, on m'excusa sur le manque de caractère de mon père. Je fus première de classe jusqu'à douze ans, puis deuxième et quinzième : j'étudiais beaucoup et ne comprenais plus. Tout m'était comme un peu voilé. On me mena chez l'oculiste, ma vue était bonne, la myopie était dans l'âme.

Depuis le moment où ma mère est morte, ce voile est levé. Il n'en serait pas autrement si j'avais toujours vécu dans le brouillard et que tout à coup le ciel se dégageât : ma vue est claire, l'horizon net, je sais avec exactitude ce que j'ai à faire, les questions arrivent suivies de réponses judicieuses. Ma compagnie me devient agréable.

Le lendemain matin, je congédiai les domestiques avec trois mois de salaire, sans leur donner d'explication. Je voyais bien qu'ils en désiraient, mais ils n'osèrent rien dire : ma mère ayant toujours été tyrannique, ils trouvaient sans doute naturel que je le devinsse en lui succédant. Aucun n'était là depuis longtemps : l'idée de vieux serviteurs attachés à sa personne ne convenait pas à ma mère qui voulait être servie à son gré mais ne se souciait pas d'être aimée.

À midi, les gens de Lisseweghe arrivèrent avec le cercueil d'ébène à poignées d'argent qu'elle avait choisi. Je le fis porter dans une des chambres et les payai sur-le-champ en liquide, elle m'avait toujours dit que les paiements rapides distraient les créditeurs des interrogations gênantes. Je savais où trouver l'argent, elle m'avait montré les coffres-forts de l'appartement et fait apprendre leurs chiffres car elle avait une confiance absolue en moi et pensait que je devais être au courant de ces choses-là. J'avais donc plusieurs centaines de milliers de francs sous la main, sans quoi je n'aurais pas pu exécuter mon plan. Dès que je fus seule, j'entrepris de préparer le cercueil. Je confectionnai une sorte de grande poupée de tissu, que je bourrai de vêtements bien tassés, à concurrence exacte de son poids, et l'installai avec soin sur le satin blanc, puis vissai le couvercle. À la fin de l'après-midi tout était prêt, je pus retourner m'asseoir au salon, devant elle.

Ma mère n'avait jamais imaginé que je pusse plaire. Quand je lui présentai Jean d'abord, René quelques années plus tard, elle hocha la tête avec indulgence et les invita à dîner, avec caviar à la louche, homards à profusion et ortolans apportés par avion du Midi, le tout servi par des valets en livrée sous l'œil attentif du maître d'hôtel. Elle était sûre qu'on ne les verrait pas longtemps et que l'amour pour moi ne se maintiendrait pas au-delà de la visite à l'appartement.

– Ces jeunes gens doivent savoir qui tu es en réalité.

Le lendemain au bureau, Jean, puis René, me faisaient de petits sourires embarrassés.

J'avais vingt ans quand elle décida que j'irais vivre seule. Elle me versa une pension pendant que j'achevais – péniblement, mais elle ne semblait jamais m'en tenir rigueur – ma brève scolarité, puis j'appris à vivre de ce que je gagnais. C'est une étude à quoi je fus très assidue, et j'y réussissais mieux qu'à l'école. Toutes les semaines, j'étais conviée à dîner : la nourriture était toujours exquise et abondante, mais j'avais dû m'habituer à manger peu et je regardais à regret les plats à demi pleins quitter la table. Il me vint parfois l'idée inconvenante de jeter une cuisse de poulet dans mon sac à main, ce que j'étais déjà gênée d'imaginer car il me semblait que je n'aurais pas survécu à un acte aussi déshonorant. Et puis, je connaissais bien ma mère et la rapidité de son coup d'œil : le risque était trop grand. Parfois, quand je m'en allais, elle me faisait remettre un petit paquet que la cuisinière avait soigneusement emballé : deux tranches de foie gras, un œuf en gelée. Cela me permettait d'économiser cent grammes de salami, je déposais la somme dans l'enveloppe que je lui confiais à la fin du mois. Elle plaçait mon argent et le faisait fructifier.

Les pompes funèbres de Lantier arrivèrent le deuxième jour et emportèrent le cercueil. Je leur avais dit que la toilette funéraire et la mise en bière avaient été faites par Lisseweghe, et de toute manière les deux entreprises étaient payées pour un enterrement complet, en n'accomplissant qu'une moitié de la tâche. Ils m'apportaient les faire-part, qui ne seraient envoyés qu'après la cérémonie à laquelle j'avais expliqué que je n'assisterais pas, par respect pour les volontés de ma mère. Aucun étonnement ne fut manifesté et ils se retirèrent après avoir exprimé leurs sincères condoléances.

J'écrivis à mon patron pour donner ma démission et fis la liste des formalités que j'aurais à remplir : le notaire, l'hôtel de ville et la banque. Rien de tout cela ne devait me créer la moindre difficulté. J'ajoutai une visite à la bibliothèque de la faculté de médecine pour affronter adéquatement ce qui m'attendait.

L'odeur commença le troisième jour. Dès mon retour de la bibliothèque, j'avais allumé un grand feu dans la cheminée, que j'allais entretenir assidûment pendant deux ou trois mois pour obtenir le milieu sec, chaud et bien ventilé qui favorise la momification. L'appartement de ma mère occupe tout le dernier étage d'un grand immeuble, je n'avais donc pas à craindre les voisins qui, pour autant qu'ils la connussent, devaient être habitués à ses excentricités. J'étais allée à la cave vérifier la provision de bois à brûler, elle était encore plus importante que je ne croyais. Je comptais sur la puissance du tirage pour rendre le grand salon fréquentable, mais je m'étais illusionnée et la puanteur devint vite effroyable. À peine si je pouvais la supporter, et j'ai dit à quel point tout ce qui me vient de ma mère m'est précieux. Je calfeutrai soigneusement les portes et les fenêtres pour éviter qu'elle ne se répande dans le quartier, comptant que ce qui partait par la cheminée se dissiperait suffisamment vite pour ne pas me dénoncer. Ma mère toujours si délicieusement parfumée devint une terreur pour les narines, mais ce n'était qu'un mauvais moment à passer, j'attendais le squelette. Je me confectionnai une sorte de masque avec du carton et de l'ouate, cela n'arrêtait qu'une partie de la pestilence et je suffoquais vite, car j'aime à respirer librement. Je fus obligée de me résigner. D'abord, je crus judicieux de ne rester dans le salon que pour les soins que j'avais à lui rendre. Comme mon système de ventilation était efficace, les autres parties de l'appartement restaient fréquentables, mais je me rendis compte que je n'y gagnais rien : en sortant du salon je désadaptais mes cellules olfactives, et les retours étaient terribles. Je fis donc le choix de la quitter le moins possible ce qui, en vérité, correspondait à mes vœux. Bientôt ma crainte ne fut plus d'y revenir mais d'avoir à m'en éloigner. L'air, dehors, était si léger, si délicat, que j'en avais les larmes aux yeux. Par moments je me sentais comme exilée du monde, enfermée avec ma mère, j'aspirais au moment où je pourrais rouvrir les fenêtres.

Mes activités étaient nombreuses, mais elles me laissaient l'esprit libre et je réfléchissais beaucoup. Je n'avais jamais su grand-chose de ma mère. Elle était si occupée qu'elle n'avait jamais le temps de me parler ni d'elle-même, ni de sa vie. Depuis des années, je ne l'avais plus vue qu'entre deux portes ou en dînant, quand la présence des domestiques interdisait les conversations intimes. J'ai deviné, par-ci, par-là, des détails, mais elle était discrète et moi respectueuse. Je ne sais pas si elle avait des amours. Elle ne sortait pas seule, toujours un homme venait la chercher, rarement le même. Après ma courte adolescence, elle cessa de m'inviter à ses réceptions, de sorte que je ne connaissais pas ses amis. Il advenait que des servantes bavardes me disent :

– Hier soir, il y a eu cent personnes.

Mais qui était-ce ? J'avais envoyé des faire-part à toutes les adresses de son carnet, qui étaient nombreuses, et je reçus une grande quantité de lettres de condoléances, comme je m'y attendais, mais je ne sais toujours rien sur ces gens qui déclarèrent, si sincèrement, partager mon chagrin. Personne ne sembla surpris par l'existence d'une fille, alors que depuis plus de vingt ans on ne m'avait plus vue à ses côtés.

– Votre mère était très admirée, m'a dit le notaire.

Quand toutes mes tâches étaient achevées, je m'asseyais devant elle et je rêvais librement, le plus souvent je tentais d'imaginer mon avenir. Il me vint plusieurs versions : je pouvais, quand tout serait en ordre, aller vivre dans les Ardennes pour y gérer moi-même le domaine, il suffirait que je revienne une fois par mois prendre soin de l'appartement et de ma mère. Je monte fort bien à cheval : je parcourrais, comme mon père avait fait, les champs et les forêts pour surveiller l'exploitation. Je galoperais rapide à travers les labours gelés de l'hiver, j'entrerais dans les cours de ferme, les femmes quitteraient la cuisine pour me voir et resteraient, timides, sur le seuil de la maison pendant que les hommes se découvriraient et s'inclineraient respectueusement en attendant mes ordres. Au passage, je carresserais une tête d'enfant. Je serais royale et clémente, mais on me craindrait car je serais aussi juste et sévère.

Je prenais beaucoup de plaisir à ces imageries enfantines, à quoi, petite fille, je ne m'étais jamais livrée car je ne me rendais pas compte qu'un jour je posséderais les terres et les bois. À d'autres moments, je me disais que je préférerais peut-être une vie consacrée à l'étude; maintenant que mon esprit était si clair, je sentais que je pourrais apprendre tout ce que je voulais. Du temps où je ne comprenais rien, j'avais une très grande assiduité au travail scolaire, je ne pensais pas que je l'avais perdue. Je ferais une licence, un doctorat, une carrière académique. Je deviendrais professeur, avec une sensibilité particulière pour les élèves en difficulté, j'aurais une manière si limpide d'expliquer les choses que l'esprit le plus embrumé verrait la clarté se répandre.

Je pouvais choisir le destin qui me plaisait, et même de me marier, mais comme je ne désirais pas avoir d'enfants je n'en voyais pas la nécessité. Je reprendrais la façon de vivre qui avait plu à ma mère, j'offrirais d'admirables réceptions où les femmes viendraient couvertes de diamants. Je ne porterais pas mes bijoux. Je laisserais, comme ma mère faisait, le collier de rubis au cou du Houdin et je pourrais – cette idée-là m'enchantait tout spécialement – acheter un buste de Siva et lui mettre au bras les bracelets d'émeraude et de perles. Je ferais porter mes joyaux par des œuvres d'art et j'irai vêtue d'une simple robe de lin blanc. Où parle-t-on des reines qui vont sans parures, leurs esclaves les suivent couvertes d'ornements, elles ne sont adornées que de leur beauté ? J'ai toujours veillé à ce que ma mère l'ignore, mais j'ai une superbe chevelure, longue et abondante, que depuis mon adolescence je poudre pour en masquer l'éclat. J'ai le genre de visage qu'une monture de lunettes dépare facilement et j'en porte toujours, mais les verres ne sont pas correcteurs car ma vue est restée excellente. Je pourrais, renonçant aux artifices, laisser paraître ma beauté naturelle que mes quarante ans n'ont pas attaquée : et qu'en ferais-je ? Je n'ai pas de fille pour m'admirer et, après Jean et René, les hommes me donnent un peu d'agacement.

Et puis, tout cela m'aurait toujours fait quitter le salon, le Manzoni, ma mère assise sur le sofa et notre tête-à-tête. Je n'étais pas repue du spectacle qu'elle offrait. Le geste de sa main, suspendu pour l'éternité, me fascinait et je passais des heures à me demander comment elle l'aurait achevé. J'avais à mon service la panoplie de ses mouvements habituels, je les essayais : la main tendue qui désigne, ou dressée, les doigts en coupelle comme pour mieux y tenir les mots, le rapide coup de tranchet quand elle disait non, un petit envol d'aile qui accompagnait son rire, je les connaissais tous, j'aurais pu suivre son discours sur ses mains comme si j'étais sourde.

Ah ! la douleur de ne jamais savoir !

Parfois j'étais tentée de penser à mon père, mais je sentais que c'eût été inconvenant devant le cadavre de ma mère. Elle n'aimait pas que l'on parlât de lui mais elle avait trop de délicatesse pour me l'interdire ouvertement, elle attendit patiemment que, la maturité venant, j'y renonce de moi-même. J'écartai donc l'importun.

Mais je fus plus d'une fois arrachée aux agréments de la rêverie. Si efficace que fût mon feu de bois, je n'évitai pas tout à fait une certaine liquéfaction et je vis des taches sombres s'étaler sur la soie sauvage. Ma mère se répandait dans sa robe. Pendant des heures, je tins le sèche-cheveux en action sur les points les plus attaqués et, quand le dessèchement fut acquis, j'eus les plus grandes difficultés à faire disparaître les taches. J'étais fort inquiète : les cheveux, quand le cuir chevelu serait décomposé, allaient-ils tomber en mèches éparses sur ses épaules et la belle coiffure se défaire ? Je cherchai des solutions, essayai sur ma propre chevelure des laques particulièrement dures, sans arriver à en tirer des conclusions rassurantes. Il advint que l'anxiété fut la plus forte et que, quasiment malgré moi, je tendis la main et pris une mèche entre les doigts pour voir où en étaient les choses. La mèche ne se détacha pas mais je vis le mouvement se répercuter sur toute la tête. Cela me parut incompréhensible et, sous l'effet de l'étonnement, je répétai une traction, légère bien sûr !, car j'étais prudente. Je vis de nouveau le frémissement de toute la chevelure et la compréhension s'abattit sur moi : ma mère portait perruque ! L'abondante chevelure noire n'était plus la sienne ! L'épouvante me gagna et je reculai. Elle n'aurait jamais admis qu'on sût cela ! Je n'avais lu ni les paquets de lettres ni les journaux intimes que j'avais trouvés dans le secrétaire, j'avais tout brûlé : ma discrétion était cependant trahie, j'apprenais ce qu'elle ne voulait pas que je connusse. L'émotion me coupa le souffle, à peine si j'eus la force de reculer jusqu'au siège le plus proche. Je fus très lente à recouvrer le gouvernement de mes pensées, une tempête me traversait, un vent sauvage qui soulevait les voiles les plus opaques et malgré moi je fus sur le point de comprendre les choses interdites. Des mots qu'elle avait dits, des gestes qu'elle avait faits menaçaient de se rejoindre et de prendre du sens. Ce fut une lutte terrible, ma mémoire implacable me livrait des souvenirs dont je ne voulais pas, j'allais découvrir ma mère, déchiffrer ses secrets, lire dans son âme. Je chancelai sous l'ouragan, emportée, violée, déchiquetée par mon propre savoir. Je luttai pied à pied, obturant mes pensées, m'assourdissant comme je pouvais. Je crois que je vacillai des heures sur ma chaise. Quand je repris le pouvoir, il faisait nuit et le feu était éteint. Je me hâtai de le rallumer. Pendant que le petit bois s'enflammait, je fis prudemment le tour de mon monde intérieur. Le calme régnait. Je n'y vis que les pensées que je consentais à accueillir. Je revins donc vers les cheveux et les examinai longuement : rien n'avait bougé. De toute évidence, ma mère qui tenait toujours à la bonne qualité des choses ne portait pas une perruque mal façonnée. Le support des cheveux artificiels n'était pas plus altéré que la soie de la robe par ce qui se passait en dessous. Il n'était pas nécessaire que je touchasse à quoi que ce fût. J'avais craint de devoir retirer la chevelure pour m'informer, c'était inutile. Je respirai plus librement et allai disposer des bûches dans la cheminée.

Ce fut la plus rude alerte.

Maintenant le grand mouvement de la putréfaction est terminé, ma mère est sèche et inodore. Je l'époussette soigneusement tous les jours, je ne veux pas que la belle soie de la robe se ternisse ni que la chevelure lustrée perde son éclat. C'est un travail très délicat, pour lequel j'utilise un blaireau souple, à manche d'ivoire, dont je ne me demande jamais ce qu'il faisait parmi ses biens. Quand on montre des images de cadavres dans les films d'horreur ou dans les dessins romantiques, ils sont habillés de toiles d'araignée et de poussière, parfois on les voit qui vacillent et se disloquent, c'est alors qu'ils effrayent, ils font mesurer le passage du temps qui parle à chacun de sa propre mort. Je ne souhaite pas que ma mère effraie. La soie aubergine n'a rien qui épouvante, mais j'ai quelque difficulté à lui garder sa beauté.

Ma mère a changé de couleur : sa peau jadis fine et pâle est devenue comme un cuir bien tanné. La lampe n'allume plus d'étincelle dans ses orbites creuses, elle continue cependant à offrir au regard un spectacle parfait. Elle est une œuvre d'art à quoi la mort a mis le point final.

Je suis devenue propriétaire de ma mère. J'ai toujours su que je le serais de ses biens, mais je n'avais pas conçu que la mort pût me la livrer. Elle m'appartient. Je tourne autour d'elle et je l'admire. Je la préfère au Manzoni. Je règne sur elle. Je m'étais entièrement vouée à sa satisfaction, je n'avais jamais consulté que ses désirs, faisant de moi l'instrument de sa volonté. Je n'avais pas imaginé prendre ainsi possession d'elle et me voici assise, la contemplant possédée et constatant le destin admirable qui me la livre.

J'ai donc trouvé le projet d'avenir qui me sied : je vais passer le restant de mes jours à la regarder. Jadis, je ne pouvais jamais me gorger de sa présence, à cause de ses obligations qui étaient si nombreuses. La voici à ma disposition. Je resterai ici, ne sortant que pour les nécessités absolues, comme de m'approvisionner en diverses choses. Tant que ma santé sera bonne, il n'y aura que la poste, la banque et le grand magasin le plus proche pour m'écarter d'elle. Je vivrai assise devant le cadavre de ma mère assise, jouissant infiniment de sa présence. Le temps passera, je vieillirai. Un jour, je mourrai. J'ai de longues années pour réfléchir aux dispositions qu'il faudra prendre et qui seront sans doute nombreuses et compliquées, mais je connais mon destin : je mourrai assise devant elle, dans ma plus belle robe, et nous serons face à face pour l'éternité.

IX

Le cri

Et l'unique cordeau des trompettes marines
résonne encore en moi. Je suis debout à la pointe
de l'île et je tremble de douleur. J'ai entendu la
voix qui montait des grands fonds marins, peut-être
avait-elle traversé l'univers depuis les plus loin-
taines étoiles, elle avait parcouru tous les temps qui
se sont écoulés, elle portait la trace de la première
nuit, elle avait voyagé à travers l'immensité pour
trouver une âme qui l'écoute et je me suis redres-
sée, élue entre toutes, j'ai ouvert les bras, j'ai ouvert
tout mon corps qu'elle a pénétré d'un seul coup, je
suis devenue le lieu même qu'elle cherchait de
toute éternité, nous nous sommes fondues l'une
dans l'autre, j'ai connu l'appartenance absolue,
j'étais elle, elle était moi, pendant l'intervalle
effroyablement court entre avant et après je suis
devenue l'évidence, l'incontestable, l'affirmation
définitive, mais elle ne s'est pas arrêtée, peut-être
l'avais-je déçue ou devait-elle poursuivre sa route
car je me suis retrouvée vide. Le silence a repris
son empire et j'écoute, malade de manque, rongée
par l'espoir comme par un cancer, des trous
s'ouvrent en moi, je suis en état d'hémorragie
interne et je vais mourir noyée dans mon sang. On

n'entend plus que le vent ou le fracas des vagues, je les distingue mal l'un de l'autre. Parfois une femme s'approche de moi et me tend de la nourriture, mais je ne peux pas la prendre, ma bouche se ferme irrésistiblement, il semble que mon corps refuse l'accès à tout ce qui n'est pas la voix. Quand l'hiver a commencé, un homme est venu poser sur mes épaules un vêtement chaud, peut-être y est-il encore. Je ne sais pas si je l'ai remercié, cela est probable car j'étais une femme très polie. Du moins, il me semble. Je ne sais plus grand-chose de moi. Qui me parlera, désormais ? Je ne veux plus rien entendre et je dis que tout est silence qui n'est pas la voix. Il semble que je vais me dessécher sur place, debout dans le vent, les oreilles tendues, j'ai mal à force d'écouter et j'ai le terrible pressentiment que la voix ne me parlera plus. Je ne suis même pas sûre de savoir ce qu'elle promettait et voilà que je ne veux rien d'autre. Cela va me faire mourir, c'est sûr, on ne survit pas en restant tout un hiver debout devant l'océan sans manger, sans dormir. Mais qu'y puis-je ? Suis-je responsable de l'avoir entendue ? Je n'aurais pas même pu me boucher les oreilles car elle est arrivée à l'improviste, rien ne m'avait avertie. On n'est pas responsable de ces choses, on vit innocemment, on écoute parler les enfants, les maris, les voisins, rien n'avertit que l'éternité peut entrer par les oreilles. Le temps coulait comme une eau libre, il arrivait que je parle, je connaissais beaucoup de mots que je pouvais assembler selon des règles familières que j'observais sans y penser, de sorte qu'on me comprenait

174

aisément. Depuis que j'ai entendu la voix, j'ai la gorge nouée et la tête vide. Il me semble que je crie de manière ininterrompue, au maximum de mes forces, mais je n'en suis pas sûre : je suppose que je m'entendrais et, depuis un moment, je n'entends plus rien. Rien du tout. Je vois que l'herbe de la plaine est ployée, couchée et mouvante comme quand il y a du vent, que les vagues viennent se briser sur la grève et je n'entends plus un seul bruit. Peut-être la voix m'a-t-elle rendue sourde ou je veux tellement l'entendre que je refuse d'entendre tout ce qui n'est pas elle ? Les gens viennent et me parlent, je vois leurs lèvres bouger. Cela m'ennuie beaucoup et je tente de me rassurer en me disant que la voix est très puissante, que le petit bavardage humain ne peut pas la couvrir, mais l'agacement grandit en moi. Je détourne mon regard d'eux, je le porte vers l'horizon ou vers le ciel puisque c'est de là qu'elle viendra, et je m'applique à ne pas voir les petits visages grimaçants de ceux qui veulent me distraire. Je n'ai plus envie de bouger, après tout mes propres mouvements font un certain bruit qui pourrait me distraire du bruit essentiel. Si discrète qu'elle soit, ma respiration ne m'empêche-t-elle pas d'entendre ? Et les battements de mon cœur ? Je suis sûre qu'ils m'assourdissent. Il faudrait que je fasse tout taire en moi, que j'arrive au silence absolu des statues, je veux que tous mes bruits s'arrêtent, le sang, les entrailles, les poumons sont insupportablement agités, mon corps vocifère, ce doit être lui qui encombre mon ouïe, il bouche l'éther, les sons ne se propagent plus, mon corps rend l'air si lourd que les délicates vibrations de la voix ne peuvent plus l'ébranler, tout cela doit s'immobiliser et je crois qu'alors, dans l'instant qui suit le dernier battement de cœur, la dernière exhalaison, il y aura ce qu'il faut d'immensité pour que, juste avant que je ne meure, se déploie de nouveau le bonheur *et l'unique cordeau des trompettes marines.*

X

La lucarne

J'habite une retraite profonde. Parfois une agitation insurmontable me prend, je cours à la lucarne, je me hisse sur la pointe des pieds et je regarde le monde : quel mouvement ! quelle lumière ! Quoi ! jadis j'ai fait partie de ce tohu-bohu ? À cette idée, l'inquiétude monte en moi, je sens que des souvenirs pourraient apparaître et je me hâte de redescendre vers le silence, dans la pénombre de la grande salle grise. Je retourne m'asseoir à la table de travail, je dispose avec soin la couverture sur mes genoux et le châle sur mes épaules, je reprends la plume. Ici, on n'entend rien. Peut-être, en tendant l'oreille, ma respiration calme, le glissement du papier quand je change de feuille ; je n'imagine pas quels autres bruits il pourrait y avoir. Ma solitude est absolue, ce dont je me félicite, et depuis ce qui me semble être de longues années il ne m'est plus nécessaire de me nourrir ni de boire, de sorte que je n'excrète plus. Rien ne vient donc interrompre mon écriture, sauf la rare folie de monter à la lucarne. Parfois je me demande à propos de quoi j'écris. Pour le savoir, il faudrait m'en souvenir ou relire les pages précédentes mais je ne sais pas où elles sont, je ne les vois pas sur la table et il n'y a pas de tiroir. Quand j'essaie de me souvenir, la phrase suivante se forme dans mon esprit et obstrue l'accès aux lieux de la mémoire : il faudrait donc écarter la phrase, mais si, ensuite, je ne la retrouvais pas ? Ainsi ne puis-je connaître mon sujet. Par moments, dans ce perpétuel assemblage de verbes, de substantifs, d'adjectifs, il se glisse un doute ou une curiosité, une interrogation confuse sur mon projet. Qui suis-je ? Où suis-je ? Je crois que c'est dans ces instants-là que je cours à la lucarne et regarde l'étrange dehors plein de couleurs et de bruits. Je fuis très vite car j'ai le pressentiment effrayant que mes yeux ne seraient pas longs à s'adapter à la lumière, mes oreilles comprendraient ce qu'elles entendent, je risquerais de perdre la retraite, cette lumière toujours égale où je suis en sécurité et cette coulée continue des mots sur le papier, qui me donne tant de satisfaction. Je sais que tant que je ne cesse pas d'écrire, je peux penser ce que je veux, y compris la curiosité, le doute et cette fascinante ignorance de mon état et de mon identité : mais ma main ne doit pas s'arrêter ou c'est tout de suite la course, la lucarne et l'épouvante. Si les mots s'alignent au rythme prescrit sur le papier, il m'est loisible de considérer l'étrangeté de ma situation. La pièce où je suis n'a pas de porte, elle est assez grande pour qu'on puisse y faire quinze pas de bonne ampleur dans tous les sens, elle n'est meublée que de la table et du fauteuil où je m'assieds. Il y a toujours une pile de feuilles blanches à ma droite ; quand la page où j'écris est remplie, je la glisse vers la gauche, cependant il n'y a jamais de pile à gauche. Je peux, du coin de l'œil, voir la surface unie du bois, la feuille que je viens d'y mettre n'y est pas. Cela est fort troublant et me fait trembler, mais il ne faut pas que je laisse ma main s'arrêter, je foncerais vers la lucarne. J'ai le sentiment d'avoir déjà fait cela plusieurs fois et qu'à chaque retour je ne savais plus rien de ce que j'écrivais avant de m'élancer et qu'il n'y avait plus de feuille devant moi, il fallait en prendre une nouvelle. De plus j'ai l'intime connaissance que je ne peux pas cesser d'écrire, mais je ne me souviens pas, quand j'arrive au bas de la page, de ce qu'il y avait en haut. J'oublie à mesure et c'est quand la frustration de ne pas savoir de quoi je parle devient intolérable que je bondis vers la lumière. Mais je connais le danger qui me menace : dehors, je n'écrirais plus. Je me retrouverais dans la nécessité de manger, de boire, d'aller et venir et je souffrirais horriblement de ne pas écrire sans cesse. Ah ! qui pourrait comprendre la jubilation de cette écriture continue, la jouissance de la page qui est toujours en train de se remplir, le soulèvement d'âme quand la dernière ligne est achevée et que j'écarte la feuille de la main gauche, mon profond sourire intérieur quand j'en prends une nouvelle sur la pile et que tout de suite les nouveaux mots viennent s'aligner, armée docile à mes projets, écoulement intarissable de ma pensée ! C'est pourquoi les élans qui me portent à me lever me font si peur : ce n'est qu'ici, loin des besoins, libre de toute chair que je peux trouver cela. J'ai une obscure certitude d'avoir vécu dehors, dans le tumulte du monde, j'étais jeune, un sang vif m'animait, je dansais, je charmais les filles ou si c'était les garçons? Étais-je un homme ou une femme? Il est étrange que je n'en sache rien, je suis d'abord étonné – étonnée? – et puis il se déclenche un tumulte terrible dans ma pensée, mes jambes se tendent, elles veulent que je me dresse et que je coure à la lucarne, mais je leur résisterai, il faut braquer ma volonté, car je pressens que je n'y verrais rien et qu'avant même d'y arriver j'aurais oublié ce que j'allais y faire. Déjà il est surprenant que je me souvienne encore de mon trouble, puisqu'il appartient à la phrase précédente. Les mots sont allés se coucher sur le papier et la question est restée présente dans ma tête: étais-je fille ou garçon? Comme le savoir? Cela devrait être inscrit sur mon corps: mais que peut me dire un corps qui n'a plus besoin de nourriture? Il faudrait que je le voie, mais il est tout emballé dans les vêtements, seules mes mains sont nues. Il ne fait pas très chaud dans la retraite, je me couvre autant que je peux. Si je me dénudais, un seul regard me renseignerait, mais je ne pourrais pas me déshabiller sans arrêter d'écrire. Je sens bien que mes jambes sont séparées par des tissus: je porte peut-être un pantalon, à notre époque cela ne garantit pas que je sois un homme. Je sais aussi que quand je cours à la lucarne mes pas remuent des étoffes: ce sont peut-être de larges jupes chaudes, à moins que j'aie enroulé des couvertures autour de moi, en me levant j'en écarte toujours plusieurs de mes épaules et de mes genoux. De la main gauche je peux tâter mes cheveux, à peine s'ils viennent sous les oreilles. Je n'ai pas de barbe. Mais pousserait-elle chez quelqu'un qui n'a plus besoin de s'alimenter? Peut-être me suis-je rasé avant d'entrer dans la retraite? Il est certain que mon métabolisme est anormal. Sans souvenir et sans miroir, comment connaître son sexe? J'ai la conviction d'être une personne humaine, mais c'est tout. Les humains sont toujours sexués, même les castrats étaient encore des garçons. Il est probable qu'avant, dans le temps du dehors, mon appartenance sexuelle avait beaucoup d'importance: je sens bien que c'est une tout autre affaire de m'imaginer amoureux des filles ou amoureuse des hommes. Je cherche à me souvenir de quelqu'un, d'un visage: rien. De moi, je ne connais que cette retraite sans porte, les murs de pierre grise et ces agitations inconsidérées qui viennent briser le cours tranquille de ma pensée et me font perdre la mémoire et la feuille que j'écrivais. Où vont les feuilles? Voilà encore une autre énigme: la pile qui est à ma droite ne diminue jamais, il ne se forme pas de pile à gauche et je jurerais que depuis très longtemps, des dizaines d'années, j'écris de manière ininterrompue. Même si je retranche ces brefs moments où j'ai couru vers la lucarne, deux ou trois minutes? le temps de remplir dix ou quinze lignes?, cela fait si longtemps que je dois avoir noirci des milliers de pages. Je n'ai, bien entendu, ni montre ni horloge et je ne sais pas de quels critères je me sers pour évaluer la durée. Si, sans arrêter d'écrire, je porte la main gauche à mon cœur, j'observe qu'il bat à un rythme régulier, sans rapidité excessive. À chaque retour de la lucarne je sentais ses battements violents dans toute ma poitrine, puis leur ralentissement progressif, le retour en moi du silence. Dans l'état paisible où je suis maintenant, je ne sens ni n'entends battre mon cœur si je n'y porte la main. Mais il continue son mouvement régulier et peut-être ai-je là comme une horloge interne ? En somme, les seuls mouvements que je puisse faire sont ceux de la main gauche et ils ne peuvent pas durer plus de quelques lettres. Encore faut-il que je sois en haut de page, quand le poids de la main suffit à maintenir la feuille en place ; dès le milieu l'autre main doit la tenir. Je ne peux pas davantage détourner le regard du mot que j'écris, j'irais dans tous les sens. Pour connaître mon sexe, je devrais me dresser sans cesser d'écrire, et je me tâterais rapidement le corps : que trouverais-je sur mon thorax et à la jonction de mes cuisses ? Ha ! un vent d'impatience se lève en moi, je frémis, mes muscles se contractent, mon souffle s'accélère, un élan me jette vers la lucarne, je ne me retiens qu'à la certitude que si je bouge j'oublierai tout, je me rive aux mots qui me porteront au bas de la page, soutiens fidèles, ma main gauche aura quelques secondes de liberté et qu'apprendrais-je ? il ne faut pas arrêter d'écrire, j'avance, lettre après lettre, vers le bas de la page, il suffit que j'écoute attentivement mes pensées et que je les transcrive sans relâche, mais j'ai le sentiment que le désir d'agir en menace le paisible écoulement, le flux généreux des mots s'enrayerait et je n'arriverais pas au but, l'affolement risque de s'emparer de moi et comme je ne peux rien faire, l'idée me vient enfin de reprendre le seul mouvement que me soit permis, celui de la réflexion. Pourquoi ai-je un tel désir de connaître mon sexe ? Quel intérêt cela peut-il avoir pour un être humain rivé à une plume et à une feuille de papier ? Dans le monde du dehors, quand il y avait le désir, les partenaires à définir, je conçois y avoir attaché de l'importance, mais ici que ferais-je de ce savoir-là ? Voudrais-je savoir pour savoir, pour rien, par curiosité pure, totalement désintéressée ? Peut-on ne rien faire d'un savoir ? Mais que puis-je faire dans la retraite ? Ah ! l'accumulation des questions m'enchante, dès qu'on pense il s'ouvre des univers, il faudra que j'y revienne mais maintenant je termine la page, je prends la suivante, une ou deux lignes pour bien m'appuyer, après quoi je réfléchirai de nouveau sur savoir et faire. Le moment est là. Sans arrêter d'écrire je me tâte, j'ai peu de temps la feuille dévie déjà et je ne sens que des masses de tissus, je n'atteins pas mon corps, il y a trop de vêtements superposés, d'écharpes en tous sens, de couvertures entassées, je ne touche que des plis, des nœuds, des boules de lainages, je suis à des lieues de ma main et je n'apprends rien. La déception me secoue sauvagement, je veux aller à la lucarne, des cris de désespoir me taraudent la gorge, je me retiens de toutes mes forces : que pourrait me dire le monde du dehors ? Et si quelqu'un me voyait ? Voilà ! un passant pas trop éloigné me voit, me salue : Bonjour Monsieur, Bonjour Madame, et le tour est joué. Je rêve ! ce qui est pour moi fenêtre élevée est soupirail pour les passants, quand on marche dans les rues on n'a pas le regard dirigé vers le bas et même ! l'étonnement d'une tête placée comme la mienne couperait la parole, et encore : dit-on ainsi bonjour aux gens qu'on voit derrière les vitres de leur maison ? De plus – je me calme – je présumais, dans ce récit d'un événement qui n'aura pas lieu, qu'un seul regard sur mon visage ferait connaître si je suis homme ou femme, or je sais bien, ma réflexion a repris son cours raisonnable, que venu un certain âge, de vieux messieurs roses et gras, de vieilles dames aux traits sévères doivent souligner leur appartenance sexuelle par leur parure. Et voilà qui me fait rendre compte que je ne connais pas plus mon âge que mon sexe. Depuis très longtemps je ne me nourris plus, j'en infère que je ne vieillis plus, mais cela est-il sûr ? Je peux me tâter le visage plus facilement que le corps : sent-on les rides sous ses doigts ? N'y faudrait-il pas un toucher d'une particulière finesse ? Quel âge avais-je à mon arrivée dans la retraite ? Et d'ailleurs, comment ai-je pu y entrer ? Il n'y a pas de porte et la lucarne est barrée par une grille, on ne peut pas en sortir, ce qui me paraît plutôt rassurant, mais je ne vois pas comment on peut y pénétrer. Que dois-je, alors, penser du fait que j'y suis ? Comment est-il possible de se trouver dans un lieu totalement dépourvu d'accès ? J'ai comme une montée de fièvre, mes tempes battent, ma gorge se noue et, entre deux lettres, mes yeux se lèvent malgré moi et regardent, à l'autre bout de la pièce, la lumière du dehors. Cependant je sens bien que depuis un moment je résiste mieux à l'impulsion, je garde même un peu le souvenir de ce que j'écris. Je sais, et cela n'empêche pas la phrase suivante de se construire, donc le mouvement de ma main n'est pas suspendu et je ne suis pas en danger, je sais que je m'interroge depuis plusieurs pages sur mon identité et le lieu où je vis. Je ne connais pas mon nom, je n'y avais pas encore pensé, il aurait pu me donner des indications sur mon sexe, à moins que je ne m'appelle Claude ou Dominique. J'ignore sur moi-même des choses essentielles et qu'on sait toujours : mais je n'ai pas encore songé à recenser ce que je sais, les reliquats de ma vie précédente, qui m'assurent qu'on se nourrit, qu'on a un nom, un sexe, un âge. En tout cas j'y étais adulte. Et pourquoi ne m'inventerais-je pas ? Oh ! voilà une idée admirable, ne rien savoir de moi me donne la liberté de m'inventer à mon gré ! Je peux me choisir une vie, une identité et me raconter *une histoire de moi-même* peut-être infiniment plus plaisante que mon histoire réelle. J'étais une fille, née en 1959, dans une petite ville du Nord, disons Bruges où il y a des rues si calmes qu'elles n'ont pas dû changer depuis cinq siècles. Je me nommais Aline Berger, j'étais blonde et charmante, ma mère était une femme nerveuse qui travaillait beaucoup et c'est Marieke, la servante flamande, qui s'occupait le plus souvent de moi. Je n'ai passé là que trois ans, la carrière de mon père l'entraîna ensuite ailleurs, mais qui ont suffi à inscrire en moi des images de beffroi et la musique joyeuse des carillons. Comme il serait facile de

185

continuer, de raconter ma jeunesse un peu errante, nous avons vécu à Amsterdam, à Cologne et à Rome, mais j'ai aussi envie de me nommer Vincent, par exemple, Vincent Lefèvre, cela sonne joliment. Je suis né à Lyon, quelques années avant Aline, j'y ai toujours habité, j'y suis étroitement enraciné par mon métier – je suis médecin – par ma famille, une vieille souche bourgeoise éprise de tradition. J'ai trois enfants que j'aime tendrement et je me considérais comme un homme paisible mais depuis quelques semaines ma femme a une expression distraite qui me trouble. Aline errante et Vincent bien fixé, cela vous a un petit ton de lieu commun qui ne me dérange pas, tout l'art est d'amener ensuite les dissonances qui intrigueront. Je continuerais ainsi pendant des pages, passant de l'un à l'autre, rien ne m'empêcherait de conduire Vincent et Aline à se rencontrer et voilà un roman. Puisqu'il faut que j'écrive, pourquoi pas une longue histoire à la trame subtile, j'ai tout mon temps. J'y élaborerais telle ou telle thèse sur la complexité des âmes, il suffit que j'y pense un peu, elle va se construire dans mon esprit mais je sens une menace, cela provoquerait des instants de suspens, sans même m'en apercevoir je risquerais de me trouver dans une réflexion sans paroles précises, et me voilà la plume en l'air, qui n'écris pas et aussitôt la retraite me serait arrachée ? Et puis : Vincent et Aline ? Et moi ? Moi ? qui suis-je ? Je ne peux pas me consacrer à eux, il n'y a qu'ici que je puisse me retrouver, dans l'écoute ininterrompue de ma propre pensée. Comment s'est faite mon entrée dans cette retraite et pourquoi ai-je si peur d'en sortir ? D'où vient que cela m'apparaisse comme une menace effroyable, un danger mortel dont je dois me garder en ne cessant pas un instant d'écrire ? Quand je vais là-haut, à l'autre bout de la pièce, si mon regard s'attardait trop longtemps sur le monde du dehors, je sais que ce serait, irrémédiablement, l'exclusion, l'exil, le dehors m'aspirerait et je perdrais la tâche à laquelle ma folie me livre. Cette pensée soulève la tempête, et je ne distingue pas si c'est la peur ou le désir de me lever qui fait ainsi vibrer mes jambes. Je m'accroche à ma plume et j'écris, j'écris, ah ! si les idées tout à coup manquaient ? Si je n'avais plus cet enchaînement délicieux des pensées qui nourrit le mouvement de ma main ? Eh bien, il faudrait que j'écrive des mots sans suite, n'importe quoi, un, deux, trois, carotte, petit patapon, arithmétique, il y aura toujours assez de mots dans ma tête pour noircir la page et aucune règle n'exige que ce que j'écris ait du sens. Si je continue d'écrire, l'ordre reviendra spontanément et du sens apparaîtra, car de trois carottes on passe vite à l'arithmétique puisque un plus deux font trois, et petit patapon évoque, dès que j'y songe un instant, le ronron des pensées qui tournent sans fin dans mon esprit, qui font la queue pour sortir et se retrouver couchées sur le papier. Je ne dois pas m'inquiéter, le danger qui me guette n'est pas là, il est à la lucarne. Je me nomme Aline Berger et Vincent Lefèvre, j'ai vingt-sept et quaranate ans, cela est aussi vraisemblable que de se trouver dans un lieu dépourvu d'accès. Je ne connais rien de mon passé, ce qui me permet d'inventer autant qu'il me plaira, mais je connais mon avenir qui est infini à condition de ne jamais lever la plume. Il faut bien avouer que cette condition est dure, il y a des pensées qui bouleversent si fort qu'on bondirait hors de soi pour leur échapper. Il faut une grande fermeté d'âme. Ah! la belle qualité, comme elle me plaît! Il m'est délicieux de me dire que je dois l'avoir, puisque je suis toujours ici. Il n'est pas nécessaire de connaître mon histoire pour apprendre des choses essentielles sur moi-même, il suffit que je m'observe : ainsi, je peux voir que j'ai une petite écriture régulière, serrée, qui me paraît porter les signes de la patience et de l'esprit de méthode. Je ne crois pas que je sois graphologue, mais je sens l'allure générale de la page où la ligne est bien droite, les espacements respectés et je veille attentivement sur mon orthographe et ma syntaxe bien que j'ignore si j'ai un lecteur. Une forte émotion me parcourt, je viens de soulever une question terrible, ai-je un lecteur ? Mes feuilles disparaissent : sont-elles lues ? Comment cela se pourrait-il, personne ne vient les prendre ! Elles cessent d'être là, je ne vois pas qu'on les retire. Pourquoi diable suis-je en train d'écrire ? Écrire n'a pas de sens, si ce n'est qu'on soit lu. Certes, j'écris pour rester dans la retraite, mais la condition pourrait être que je dessine ; si c'est écrire il est forcé qu'il y ait un lecteur. De nouveau je m'affole, mon souffle se précipite, je m'agrippe à ma pensée pour ne pas courir à la lucarne. Reprenons, reprenons, ma mémoire s'améliore fortement, je n'ai aucune tendance à oublier la question qui me bouleversait malgré le désir de courir et ce cœur qui me bat jusque dans la gorge. Qui s'empare des feuilles ? Et comment fait-il ? Tout cela serait-il faux, suis-je en train de rêver, ou de délirer sur un banc, dans le jardin d'un asile psychiatrique, bientôt une infirmière à la voix douce apparaîtra, me prendra par le bras en disant : Venez, il est temps de rentrer, la nuit tombe, il faut aller dîner. Ou bien je m'éveillerais brusquement, le corps couvert d'une sueur glacée, je tendrais la main vers un interrupteur dont je connaîtrais parfaitement l'emplacement et je verrais ma chambre, le lieu familier où je m'endors tous les soirs, les rideaux sombres bien fermés, je retrouverais la lampe de chevet qui serait d'opaline laiteuse, la grande armoire à glace en acajou au pied du lit, je l'ai héritée de mes parents, elle était dans la famille depuis trois générations et j'y vois tous les matins mon reflet, cette nuit j'ai vu les yeux dilatés par la peur, je halète et je me reconnais, Aline ou Vincent qu'un cauchemar vient d'arracher au sommeil ? Je me trouve dans un lieu où on ne peut pas entrer, j'y vis depuis des années sans me nourrir et les feuilles disparaissent. Ou bien en suis-je toujours à la première page et est-ce le délire qui me fait croire que régulièrement j'en écarte une et en prends une autre ? Il est certain que tout en gardant les yeux fixés sur les mots que j'écris je distingue à droite, à l'extrémité de mon champ visuel, la pile de feuilles blanches et qu'à gauche rien ne rompt l'harmonie sombre du bois. Même couverte d'écriture, une feuille blanche se remarquerait, n'est-ce pas? D'ailleurs j'ai gardé de l'école l'habitude de laisser une marge, la page la plus remplie compte bien deux centimètres de blanc sur toute sa hauteur. L'école? Quelle école? Que sais-je des écoles? Mais quelle sottise de discuter si une page se verrait ou si j'ai connu l'école! Où aurais-je appris à écrire? L'inquiétude me trouble le raisonnement, je ratiocine sur des évidences alors que j'avais entrepris, bien plus judicieusement, de recenser ce que je sais de moi. Il y avait la fermeté d'âme et le sens de la méthode – et, il me semble, une troisième qualité, que je ne retrouve pas. Mon lecteur s'en souvient peut-être, il faut plus de temps pour écrire que pour lire et cela est donc plus récent pour lui que pour moi, de plus il peut, s'il le souhaite, revenir en arrière et retrouver les lignes dont je parle. Ce que j'écris quitte ma tête et s'en va dans une autre, moi, je le perds. Le voudrais-je, je ne pourrais pas reprendre à la première ligne et me répéter: j'ai oublié. Et cependant c'est mon œuvre, mon bien propre, c'est ma pensée qui noircit le papier et je n'en dispose pas. Il y a là quelque chose d'horrible, un vent d'indignation se lève, je m'accroche à la plume et décrivant le vent j'escompte qu'il s'apaise. Ah! la tempête qui se déploie, les toits qui s'envolent et retombent en brisant tout, les arbres déracinés qui meurent en criant, mais d'où me viennent ces souvenirs? Ai-je vu cela ou suis-je en train de le créer comme je crée mes pensées et l'interminable lacis de mon écriture sur la page? Le monde du dehors existe-t-il réellement? Quoi donc m'en convainc? Il faudrait aller à la lucarne, et j'aurais oublié au retour ce qui m'y jetait, il ne peut y avoir de réponse que si on se souvient de la question. Cette idée me fait vaciller, ma pensée s'approche de régions effrayantes, me voilà rêvant sans cesse au savoir, pays interdit où se prononce l'exclusion. Mais comment résister à s'interroger sur soi-même : on le ferait en sachant comment on s'appelle ! l'amélioration de ma mémoire me réconforte, je me souviens fort bien qu'après avoir cherché à me définir, j'ai pensé que je dois avoir un lecteur et j'ai cherché ce qu'il advient de la page terminée, même j'ai douté si je ne rêvais pas toutes ces pages, mais c'était là un effet du trouble. J'étais au premier tiers, les spéculations ont emporté ma pensée dans tous les sens, et voilà que j'y suis de nouveau, la feuille n'est plus à ma droite où je l'avais négligemment poussée il y a – quelques minutes ? Je n'ai aucun instrument qui me permette de mesurer le temps, je devrais m'entraîner à compter les battements de mon cœur – je vais, tout en continuant à écrire, surveiller la table du coin de l'œil. Qu'apprendrais-je ? Quelle bouche dévore assidûment le produit de ma pensée ? Qui me lit ? Ah ! Qui me lit ? C'est la seule question importante, le désir d'aller à la lucarne me traverse et s'en va, la réponse n'est pas là. Écrire me rive à cette table que même mon regard ne peut pas quitter. Quelqu'un entrerait dans cette pièce sans porte, s'approcherait et tendrait la main vers la feuille, je ne le verrais pas. Quand je changerai de page, je guetterai. Il suffit de laisser encore pendant quelques lignes ma pensée couler doucement sur le papier, mot à mot l'espace se rétrécit, mes idées sont comme une pluie qui n'en finit pas, par une de ces longues journées de printemps humide ou de septembre brumeux où une eau interminable noie tout, on a l'âme qui s'effrite doucement dans une nostalgie sans objet, tout espoir se dilue, mais je ne peux pas me livrer aux délices venimeuses de la mélancolie, je veux savoir comment la feuille disparaît. Glisse-t-elle sur la table ? Cesse-t-elle simplement d'être là comme si elle passait dans un autre espace ? Il est certain que je ne verrai pas une main s'en emparer. Le plus troublant n'est pas que je ne sache pas qui je suis ni quel est mon sexe, mais qu'il n'y ait pas de porte. Je suis un être de raison : si je suis ici, c'est qu'il y a une entrée. Par ailleurs, j'ai cette certitude irrésistible que, chaque fois que j'allais à la lucarne, j'y perdais la mémoire – à bien y penser, c'est un paradoxe, car sans mémoire comment peut-on savoir qu'on a perdu la mémoire ? Il est donc logique de penser que j'ai oublié mon arrivée. Peut-être y avait-il de longs couloirs mal éclairés, des trappes, des pièges : mais il fallait une ouverture dans les murs. Je ne peux même pas jouer avec l'idée qu'il y a une porte derrière moi et que, ne pouvant pas me retourner puisque je ne peux pas quitter la page des yeux, je m'imagine son absence ; à mon dernier retour, courant ivre de terreur en me débattant parmi mes couvertures ou mes jupes, les pieds pris dans les écharpes qui se défaisaient, rattrapant le châle qui glissait le long de mes épaules, malade d'épouvante mais n'oubliant jamais ma curiosité, je regardais attentivement le mur d'en face en sachant que je n'aurais pas d'autre occasion de le voir : il était – il est – exactement semblable aux autres, fait de grandes pierres grises carrées, sans ornements et sans porte, je le répète : sans porte. Mon lecteur comprend-il cela ? Puis-je lui faire sentir la terreur de l'enfermement dans un lieu qui n'a pas d'accès ? La raison s'y perd et par instants je me sens sur le point de ne plus croire en ma propre existence mais les mots *je n'existe pas* n'ont aucun sens puisque je les pense et que, dès lors, je suis. Descartes. J'ai de la méthode et de la patience, je suis un être de raison et je connais qu'un philosophe s'appelait Descartes. Je sais aussi qu'avec Aline et Vincent on peut faire tout un roman, il suffit de laisser l'histoire s'élaborer dans l'ombre : en somme, je ne suis pas qu'ignorance, mais jamais mon savoir ne se rapporte à moi-même. Tout juste si je peux tirer des conclusions de mes façons d'être actuelles : l'allure de mon écriture, l'énergie croissante que je mets à résister au désir de la lucarne, ma foi en le raisonnement. Je n'apprends rien sur mon histoire. Et voilà que, dans le feu de la réflexion, j'ai oublié de guetter au moment où je changeais de page. C'est que je me demande sans cesse ce que signifie ce mouvement irrépressible de ma main, cette progression de gauche à droite qui se rompt et recommence toujours. Certes, elle transcrit ma pensée : donc j'écrirais pour connaître mes pensées ? Pourrais-je penser si je n'écrivais pas ? Et quand je prétends qu'il est obligatoire d'écrire, ne suis-je pas en train de déguiser l'intense plaisir que je prends à penser, de même que quand je me défends si tenacement de la course à la lucarne il ne s'agirait que de garder la mémoire de ce que j'ai pensé? Mais c'est une mémoire incomplète, incertaine, il serait bien plus satisfaisant de pouvoir me relire, je sens que certaines articulations entre les idées m'échappent. J'écris pour un lecteur dont je ne sais rien : je soupçonne que j'écris aussi pour moi, dans le projet à chaque instant frustré de me relire. Ah! Me relire! Combien de pages ai-je remplies depuis ma dernière interruption? Si je me force à la remémoration, je trouve que j'ai décrit ma situation, cherché à recenser mes spécificités, imaginé Vincent et Aline, mais cela est assez confus, je ne sais pas dans quel ordre les choses sont venues et il ne m'est pas possible de m'interrompre pour y réfléchir parce que sans cesse la phrase suivante se forme déjà dans mon esprit. Parfois j'ai le plaisir de sentir qu'elle s'arrondit noblement sous la plume, rarement car il ne m'est pas permis de la laisser mûrir, cela mettrait l'écriture en suspens. Et d'ailleurs, si je me détournais de la phrase qui vient pour penser à ce qui a précédé, peut-être n'aurait-elle pas lieu, elle avorterait, c'était sans aucun doute la plus belle, celle qui allait me faire trembler d'émotion, répandre la joie en moi, des larmes de bonheur couleraient sur mes joues – mais, moi qui n'excrète pas, puis-je pleurer? –, je sentirais sa beauté, des oasis fleuriraient dans les déserts. J'ai peur de manquer les pensées futures en recherchant les anciennes, on ne peut rêver que sur ce qui n'existe pas encore, les phrases déjà écrites doivent être jugées et je crois que je crains mon propre jugement. Je n'ai pas de raisons de penser que mon lecteur inconnu ne me juge pas : il ne m'en dit rien. Si je me relis, je me dirai ce que je pense de ce que j'écris : aurai-je de l'indulgence pour moi-même ? L'idée d'indulgence me fait horreur, je dois être honnête, c'est d'admiration qu'il est question, pourrais-je admirer ce que j'écris ? La terreur serait de me trouver médiocre, cela peut arriver, il faudrait tout jeter et recommencer. Mais recommencer quoi ? je ne sais pas de quoi je parle ! Qu'ai-je écrit avant, quand je me laissais encore entraîner à la lucarne par mes émotions ? Aline et Vincent, que tout à l'heure je croyais inventer, étaient peut-être des souvenirs obscurs, des traces confuses d'un projet antérieur qu'une course à la lucarne avait interrompu. Je n'ai aucune garantie, je ne sais rien de moi. Étais-je, dans le monde extérieur, en train d'écrire un roman, dans une pièce ordinaire avec une porte, peut-être même deux, parfois les pièces ont deux portes, une vers le vestibule et l'autre, par exemple, vers la salle à manger, avec des fenêtres, des tableaux aux murs, des étagères chargées de livres, un fauteuil de cuir et une cheminée où brûlait un grand feu de bois. Ici, j'ai toujours un peu froid. Est-ce que je m'occupais à inventer ces deux vies ; l'inquiétude de Vincent qui devine sa femme s'éloigner, qu'est-ce qui la rend ainsi opaque ? et Aline qui – pourquoi pas ? – n'aurait que faire d'un nouvel homme dans sa vie, à peine si elle sort d'une tourmente, elle se défend de lui, il va souffrir deux fois puisqu'une femme le quitte et qu'une autre se dérobe. Dans son âme voisinent un amour qui se meurt et un qui ne peut pas naître, le mort tue le vif, il me semble qu'il y a là de beaux développements, décidément j'ai l'avortement en tête ! J'écrivais cela bien tranquille, dans une bonne familiarité avec l'écriture, connaissant mon public et comment il m'accueille, il est content de voir arriver le livre suivant comme – peut-être – ce lecteur qui dérobe les feuilles mais ne se révèle pas. Ou bien n'avais-je jamais rien écrit, je savais à peine, sur une carte postale, dire à mes amis qu'il fait beau et que je passe de bonnes vacances, je suis dans la retraite par hasard, il fallait trouver quelqu'un pour une expérience et je passais par là. Non, cette hypothèse résonne mal, je n'aurais pas cet intérêt impatient pour la prochaine phrase, je devais, dans le monde d'avant, n'être pas étranger à la chose écrite. Un métier m'occupait qui ne me laissait pas de temps et j'avais formé un vœu qui a été réalisé à l'extrême : tu voulais écrire ? tu ne feras plus que cela, mais ne t'avise pas d'arrêter un instant ou ce sera fini pour toujours. Je suis un ingénieur harassé par les ordinateurs, ou une mère de famille, j'ai cinq enfants, le plus jeune a huit mois et je suis de nouveau enceinte, quand aurai-je une minute à moi ? Entre les langes et les panades je mourais d'asphyxie quand je me suis retrouvée ici, sans sexe, le ventre plat et les seins secs. Mais alors qui s'occupe des enfants ? Et celui que je portais, qu'est-il devenu ? A-t-il avorté comme avorterait la prochaine phrase si je levais les yeux ? Faute d'avoir les autres pages je pourrais, en étant très rapide, porter le regard vers le haut de celle-ci, mais comment me relire et concevoir en même temps la phrase suivante ? Tout au plus puis-je voir un ou deux mots sur la ligne précédente : c'est tout ce qui m'est accessible, hors ce souvenir confus qui survit spontanément en moi. Si j'ai été cette femme aux cinq enfants il est certain que je préfère rester ici, calme, la plume à la main, le ventre vide et la tête pleine. Comme ingénieur je n'étais pas plus heureux, je ne serais pas ici. Je travaillais sans cesse et je vivais dans la terreur de perdre mon emploi. Partout on licencie, moi j'ai quarante-cinq ans, vingt ans dans la même entreprise, le préavis me donnerait de quoi vivre un moment, et ensuite ? la cloche ? les grilles de métro dont il sort un peu de chaleur ? J'avais peur, il fallait toujours être le meilleur, celui qu'on gardera jusqu'au bout. Ici je continue à avoir peur, il est vrai, la tentation de la lucarne est parfois terrible. Mais alors, qu'ai-je gagné ? Ah ! c'est que personne ne juge de la qualité de mon travail, il suffit que je m'y adonne sans relâche et l'éternité m'appartient : au-dehors, il n'existait aucune condition qui me protégeât de l'exclusion. j'ai trouvé la sécurité. Mais peut-être ne suis-je ni la femme aux cinq enfants, ni l'ingénieur, ni Aline, ni Vincent. Dois-je encore inventer un autre personnage ? Je sens que rien ne me serait plus facile, et cela me fatigue, je voudrais savoir qui je suis, est-il rien de plus légitime ? et qui me lit, j'arrive au bas de la page, encore deux lignes, la tension monte en moi, un, deux, trois, carotte, petit patapon, arithmétique, je suis à la feuille suivante et tout en écrivant assidûment, irrémédiablement, je surveille la partie gauche de la table où je viens de faire glisser la page. J'ai veillé à bien faire le même geste que d'habitude, je ne veux pas tricher, elle est toujours là, je la distingue fort bien, rectangle blanc sur le bois noir, enfin, presque noir, ce n'est pas de l'ébène, je ne connais pas le nom des bois, il est extrêmement difficile de penser à deux choses à la fois comme je dois le faire si je veux concevoir la phrase suivante sans oublier de surveiller la table. Je ne sais pas comment diviser mon attention en deux parts, une qui s'exerce à l'intérieur de moi pour capter le cours de ma pensée et l'autre qui reste tendue vers le dehors, accrochée à la partie gauche de la table, la phrase va s'enrayer, un, deux, trois, carotte, mais il m'apparaît tout à coup qu'il ne va pas m'être possible de poursuivre selon cette technique. Je veux dire que, pratiquement, je pourrais le faire et appeler tout le dictionnaire à mon secours, hémorragie, exanthème, archéoptéryx, mais cela créerait en moi un malaise intenable, le vertige, le sentiment de basculer dans la folie, il faut que ma pensée reste organisée, cohérente, du moins selon mon jugement, ce qui est à peu près irréalisable si je garde une partie de mon attention pour autre chose, cela me stérilise, je viens de ralentir un peu le mouvement de ma main pour entendre les mots suivants sans consacrer toute ma pensée à leur germination. C'est hypocrite et il suffit que je m'en aperçoive pour connaître que l'hypocrisie n'est pas admise par le contrat qui me maintient ici. Quel contrat ? Quelles sont ces règles auxquelles je me soumets ? Avec qui ai-je passé contrat ? Mais la feuille a disparu. L'agitation à l'idée du contrat m'a donné une seconde de distraction, cela a suffi. Il faudra recommencer. Je voudrais bien savoir sous quelle loi je vis : il est dit que je ne peux pas arrêter d'écrire, il n'est pas précisé que cela doit avoir un sens mais des raisons internes m'y obligent, et je ne peux pas tricher ou tout lien entre mon lecteur et moi est rompu et je me retrouve dans le monde du dehors. De plus, je sais que je ne veux absolument pas rompre ce contrat, que ce soit pour les raisons de l'ingénieur ou de la femme aux cinq enfants. Il semblerait que je ne puisse pas connaître mon lecteur. Ce n'est pas une certitude, mais une intuition confirmée par le fait que la page n'a disparu que pendant la distraction. Comment mon lecteur a-t-il pu la deviner ? Certes, j'avais annoncé mon intention, mais la distraction ? Comment a-t-il décelé la distraction ? Je voudrais m'attacher à réfléchir là-dessus, mais une grande vague d'émotion monte en moi : il est donc bien vrai qu'on me lit ! Quel bonheur ! une douceur exquise m'envahit, une profonde sensation de complétude, je respire mieux, je n'écris pas pour le vide, pour rien, je communique avec quelqu'un, on me lit, on m'entend, on me voit, j'existe, même si je ne sais pas pour qui. Ma poitrine se dilate, je m'épanouis, un sourire infini transforme mon visage, je viens de naître, le souffle de la vie m'anime, le monde est admirable et que m'importe de savoir qui m'a donné la vie : je vis ! Quelle gratitude ! Ainsi, il ne me suffisait pas d'écrire, il fallait qu'on me lise. Je m'en doutais, je m'en doutais, je disais, il y a très longtemps mais je m'en souviens, que l'écriture implique forcément un partenaire, mais cela était du raisonnement, j'exulte délicieusement. Même si j'ai la plus grande confiance en ma réflexion, le mouvement de joie qui m'emporte montre qu'elle ne suffit pas à ma satisfaction. Il me faut une réponse, la disparition me l'a donnée. Donc un doute m'habitait, et terrible : un bonheur comme celui que j'ai éprouvé donne la mesure du malheur qui me menaçait. Je n'aurais pas survécu, cela est clair, à l'absence de lecteur, et je n'osais pas le savoir. J'ai déguisé ma curiosité, je me suis demandé comment la feuille disparaissait, la véritable question était : la lit-on ? Mais je l'ai fait innocemment, c'est sans doute ce qui m'a évité la punition. Il m'est permis de m'interroger autant que je veux sur mon lecteur, mais pas de lui tendre des pièges, il a attendu ma distraction. Je ne dois rien exiger, je dois croire, si j'existe c'est qu'on s'est donné la peine de me créer, si j'écris c'est qu'on me lit. Quelque chose me trouble. Je sens que mon bonheur me quitte. L'idée que j'ai subi la tentation de croire sans preuve me déplaît, apparemment j'ai certains principes que cela choque. Voilà une nouvelle information sur moi-même, mon bagage s'alourdit, j'ai du raisonnement, de la méthode et je n'ai aucun goût pour les vérités révélées. En fait, la preuve que j'ai arrachée à mon lecteur n'était pas nécessaire, je sais parfaitement que l'écriture est un moyen de communication, il ne pouvait pas ne pas y avoir quelqu'un, il suffisait que je me fie à moi-même et je ne l'ai pas fait, j'ai voulu un signe. Autant dire ma pensée telle qu'elle est : je voulais une preuve d'amour. Je peux vivre dans la solitude pendant l'éternité, il faut que quelque part quelqu'un m'aime et m'écoute. Ou me lise. Je croyais que l'écriture me tenait en vie, mais c'est l'amour de mon lecteur, sa pensée ne me quitte pas un instant, il lit dans mon esprit, il a su ma seconde de distraction et en a profité pour prendre la page sans être vu, peut-être souriait-il doucement, se moquant de ma naïveté quand je croyais le tromper. Deux désirs violents m'animent : je veux savoir qui je suis et qu'on m'aime. Il me devient indifférent d'ignorer comment s'est faite mon entrée ici, une présence tutélaire veille sur moi, quand j'ai froid il y a toujours une couverture ou un châle supplémentaire pour m'en envelopper, la pile de feuilles ne diminue jamais, ma plume ne se vide pas, toutes les pensées qui se forment dans mon esprit sont écrites à mesure qu'elles arrivent, mon lecteur en prend connaissance avec empressement, il a toutes les pages, il peut me relire, se souvenir de ce que j'ai déjà écrit, il en sait plus que moi à mon sujet et peut-être, s'il le voulait, pourrait-il tout me dire ? Oh ! la lucarne ! la lucarne ! courir là-bas, rester assez longtemps pour que tout me revienne, connaître mon nom, mon histoire, savoir qui j'ai aimé, qui j'ai haï – mais tout perdre ! Me retrouver dehors, calculant, lavant des langes, amoureux d'Aline ou me défendant de Vincent ! Dans le harcèlement des émotions, le désir qui bouleverse, le désordre, fétu de paille parmi les vents contraires, épave que les courants se disputent, la tempête sans cesse m'agite, les choix opposés me déchirent, je perds la tête à ne pas me comprendre et à me décevoir, mes propres élans me poignardent, je suis le couteau qui me tue et l'assassin qui m'habite se retourne contre moi? Non! Non! Je veux le silence, la retraite sans porte, les murs nus, le calme avec lequel je poursuis le développement de ma propre pensée, le mouvement régulier de la plume sur le papier, le temps sans limite, le silence du corps, l'esprit libre, l'harmonie exquise qui règne en moi, je suis un éternel dimanche, rien ne me presse et rien ne me ralentit, je ne veux pas de la lucarne. Je devine qui j'étais : homme ou femme, je ne sais pas, mais un lieu de tourments, une demeure inhabitable, un cyclone et voilà que soudain le vent a tourné, je suis dans l'œil, là où plus rien ne bouge, même un brin d'herbe est immobile mais on peut voir au loin, au bout de la plaine, les arbres déracinés, les maisons abattues, les enfants emportés jetés contre les murs et qui retombent brisés. Tel est le monde du dehors, rien n'y a de sens car tous les sens se chevauchent, c'est le déchaînement de la terreur, les cris. Ici coule une parole régulière qui couvre lentement une feuille après l'autre, dans l'ordre immuable qui va de gauche à droite et de haut en bas, il n'y a plus que deux dimensions que l'on perçoit tranquillement, rien ne bouge, on n'entre ni ne sort, tous les appétits sont éteints, c'est l'éternité, j'habite dans l'amour de mon lecteur.

À gauche, la feuille n'a pas disparu.

Je suis au bas de la page et le feuillet précédent est toujours là. Que se passe-t-il ? Qu'ai-je fait ? Qui m'a trahi ? Qu'ai-je écrit que l'on ne veut pas lire ? Cela doit se trouver sur la page qui avait été prise, pas sur celle qui est restée. Il faut que je me souvienne de ce que j'y disais, mais l'effort de remémoration risque de ralentir ma plume et je voudrais l'accélérer, arriver au bas de celle-ci et la glisser sur l'autre pour voir si elle est reçue. Qu'ai-je dit qui a déplu ? Je sais que deux questions me harcèlent : qui suis-je, et qui est mon lecteur. J'ai pu, depuis que je me souviens, tenter de connaître mon sexe, même j'ai essayé de tâter mon corps, cela n'a pas été sanctionné. Je me suis inventé des identités, on souriait, je crois. On souriait ! Il m'est venu de penser que mon lecteur m'aimait, j'ai deviné son impatience, sa tendresse, parfois son indulgence, et je crois que j'ai voulu lui plaire. Pendant que j'écrivais, je cherchais à deviner ce qu'il voulait lire, je me préoccupais secrètement de l'intéresser, je guettais ce sourire que je ne peux pas voir. Il est clair que je voulais séduire, c'est cela qui m'était interdit et aussitôt la punition est venue, j'ai su, de moi, le pire : la tempête. Ah ! je ne veux pas oublier ce que j'écris en ce moment ! Mes pensées s'embrouillent, on ne peut pas penser et se souvenir de ce qu'on pense, c'est à cela que l'écriture sert, à garder trace de soi-même. Je suis à la dernière ligne, je peux enfin écarter cette feuille-ci, d'un geste négligent, comme je faisais des autres, sans me soucier de leur destin. À l'angle de mon champ visuel, je vois deux rectangles blancs légèrement décalés, je l'ai posée de guingois. Était-ce une maladresse feinte, un calcul secret dont je n'ai rien su ? Les minutes passent, les mots s'alignent, les idées se chevauchent, je m'interrogeais sur mon lecteur, je ne fais plus que cela. Je pensais qu'il sait tout sur moi, mon nom, mon sexe et mon histoire et qu'il peut, s'il le veut, tout me dire : pour mon malheur, il y est prêt, si j'enfreins les règles imposées, ces règles à quoi je devais obéir sans les connaître. Il n'a pas besoin de lire, il reçoit mes pensées à mesure qu'elles naissent dans mon esprit, je l'ai bien vu lors de ma distraction, il ne prend – ah ! ne prenait ! – les feuilles que pour les avoir à sa disposition, les relire à son gré, pour le plaisir de les posséder. Voilà : il y revenait dans ses moments d'oisiveté, pour retrouver une phrase particulièrement bien venue, préciser, pour son plaisir, le souvenir de ce que j'avais dit, mais il n'a pas pris les dernières pages ! J'ai un nœud dans la gorge, une bête épouvantée court dans tous les sens, c'est le désespoir, je ralentis la plume pour reculer le moment où il y aura trois pages, elles ne partiront pas, je le sens, elles ne partiront plus. J'ai eu des pensées qui étaient interdites et voilà que je comprends lesquelles : je parlais de lui, je découvrais quelque chose sur lui ; aussitôt, il m'a fait connaître quelque chose de moi, même l'expression exacte que j'ai utilisée est restée dans ma mémoire : un lieu de tourments. Je pouvais me souvenir du monde, il m'a infligé de me souvenir de moi et j'en ai, avec une certitude absolue, retrouvé l'essentiel, ce qui est plus important que mon nom ou mon sexe, l'odeur même de mon âme, sa couleur, ce qui fait qu'on se reconnaît : l'orage et l'angoisse. Je n'ai pas respecté la clause de base : il voulait que j'écrive en ne pensant jamais à lui. Mais c'était une exigence folle ! Est-ce qu'on existe en étant seul ? Je pense, donc il y a quelqu'un. Pouvais-je écrire sans sujet et ne pas buter sur lui ? C'est donc que j'avais à choisir un sujet et m'y tenir aveuglément, je devais raconter Aline et Vincent, je croyais les rencontrer en moi par jeu, ils étaient comme une mémoire obscure de mes obligations et je n'ai pas reconnu ma tâche. Ou bien était-ce l'ingénieur et la femme aux cinq enfants, l'état de crise où vit le monde, la dureté de la condition féminine ? Mais je n'avais pas envie de m'occuper d'eux, je vois bien que je n'avais d'intérêt que pour mon étrange réclusion, pour mon âme et ses complexités alors qu'on attendait de moi un roman, du divertissement, deux cent cinquante pages sur les intermittences du cœur ou les douleurs de l'amour, l'ingénieur mangé par son travail, la femme par ses enfants, la lutte pour survivre à la vie qu'on mène, la mère qui se voit tourner panades et au lieu de me consacrer aux autres, j'ai pensé à moi, ce qui me menait à lui. Oh ! ces autres ! je pouvais les inventer, c'est sûr, et éternellement Bovary c'eût toujours été lui et moi, mais on voulait le déguisement, et le contact cru avec une âme recluse n'intéressait personne. Qui n'est pas reclus, enfermé en soi comme dans une retraite sans porte, coupé du monde et qui voudrait en entendre parler ? J'ai cru dans ma folie trouver en mon lecteur de l'intérêt pour moi, avec quelle ardeur j'ai abordé l'ouvrage ! Le temps n'existait plus, je ne mangeais plus, je ne songeais plus à dormir. J'ai froid. Je cherche d'une main tâtonnante une couverture supplémentaire sur les accoudoirs ou le haut dossier de mon siège. Rien. Mais il y en avait toujours ! Chaque fois qu'un frisson me traversait, je trouvais de quoi me réchauffer ! c'est ainsi que peu à peu s'est formé l'amoncellement de couvertures, les nœuds d'écharpes qui me ligotent, et maintenant je vois – après tout, quand le mot est engagé, je peux, le temps d'arrondir une lettre, jeter un rapide regard sur le côté – je vois qu'il n'y a rien. Je n'osais jamais quitter le bout de ma plume des yeux, or cela peut se faire à condition d'aller très vite et la ligne ne dévie pas, le mot continue à s'inscrire sans défaut. J'ai froid et ma main gauche erre autour de moi sans rien trouver. Si j'avais faim, il n'y aurait rien à manger. Pourquoi ai-je pensé à la faim ? Pourquoi cela amène-t-il si vite à mon esprit l'image d'un grand bol de soupe fumante où fond un morceau de beurre, comme il y en avait dans mon enfance ?

Comme il y en avait dans mon enfance ? Sous le choc me voilà à la ligne. Je ne vais jamais à la ligne, il n'y a pas de raison, ma pensée coule toujours avec une parfaite continuité, il n'y a pas à marquer de rupture, sauf quand il s'est agi de dire que la feuille n'était pas partie. Et maintenant j'ai parlé des bols de soupe de mon enfance, comme si j'en avais le souvenir. La terreur me gagne, car je ne doute pas de cette soupe, c'est ce que l'on nommait dans ma famille un bouillon de légumes, on y voit des carottes, des céleris, des poireaux et des pommes de terre coupées en dés bien égaux et qui ont longuement mijoté ensemble. On y ajoutait un morceau de beurre frais pour donner du velouté. Le soir, quand on était en famille et qu'on pouvait s'accorder quelque liberté dans les manières, il était permis d'y tremper une tartine. J'ai de plus en plus froid. Il y avait toujours une nappe blanche sur la table et c'étaient de grands reproches quand on la tachait. Mais au train où je vais, je saurai bientôt qui cuisait la soupe, j'entendrai dans ma mémoire la voix de ma mère, c'est tout mon passé qui vibrera en moi. Ma pensée me trahit. Je ne peux pas arrêter d'écrire si je veux rester dans la retraite, et je ne peux, naturellement, écrire que ce que ma pensée me propose, or elle me rend la mémoire. J'ai froid, mais il y a pire : j'ai envie de ce bol de soupe, de la tranche de pain qu'on y fait un peu ramollir, j'en salive. Saliver. Mon corps se réveillerait-il ? Comment éviter cela si je me souviens de moi ? À cette table de mon enfance, c'est le repas du soir, ma taille est encore petite, le bol est énorme entre mes mains. Je ne veux pas penser à cela. Un, deux, trois, carotte. Carottes, céleris, poireaux. Non. Je suis dans une retraite sans porte où règne une lumière grise qui ne varie jamais, à mesure que j'écris les feuillets disparaissent, je n'ai qu'à détourner tout à fait mon attention de la partie gauche de la table, j'obturerai cette zone de mon champ visuel, je m'aveuglerai, je vais décrire plus longuement et avec plus de précision la retraite, le sol dallé et les murs de pierres carrées. Au nom du ciel ! que pourrait-on en dire de plus ? Ce sont des dalles d'une matière dure, je nommerais bien cela du granit, mais je ne connais pas les noms des matériaux et je ne dispose d'aucun livre où me renseigner. D'ailleurs il faudrait arrêter d'écrire et cela me chasserait de la réclusion. Je ne connais que la feuille blanche qui se couvre lentement et je ne dois pas voir plus loin que le bout de ma plume. D'où vient l'encre ? Cette plume a-t-elle un réservoir inépuisable ? Pourquoi pas, si moi je vis depuis des années sans nourriture, ma plume peut écrire sans être remplie. Je ne me pose que des questions stupides, pourquoi me demander comment on entre, il suffit bien qu'on y soit et une question comme celle-là voisine très dangereusement avec son corollaire : comment sort-on ? Les questions s'appellent les unes les autres, c'est une pente menaçante où on dévale sans recours et je dois cesser ce jeu ridicule qui me met en péril. Revenons à Aline qui a vingt-sept ans, il faut lui donner un métier, dans les romans comme dans la vie on a toujours un métier. Il m'est habituellement difficile de choisir le métier de mes personnages : je ne connais bien que le mien et je ne suis pas habile à parler des choses que je ne connais pas, je ne peux pas toujours en faire des

Je connais mon métier !

Je ne le dirai pas, je ne l'écrirai pas, je veux l'oublier aussitôt comme le bol de soupe et la voix de ma mère quand elle disait :

– Allons bon ! nous voilà de nouveau avec une nappe sale ! Je finirai par mettre une toile cirée !

Mais il y a du rire dans son reproche, elle sait bien qu'elle ne le fera pas, qu'elle aime trop la belle matité du lin et que nous sommes trop jeunes pour éviter les maladresses. D'ailleurs, nous ne nous penchons si fort sur nos bols de soupe que pour dissimuler notre amusement. La retraite est grise, la table est de bois sombre, ah ! il n'y avait donc pas que la lucarne, le danger était en moi, je contiens aussi des fenêtres qui s'ouvrent sur le dehors, je ne suis pas fiable. Mes yeux ne doivent pas quitter le bout de la plume, cela je peux le faire, mais comment tient-on sa pensée enchaînée ? La lucarne ne me tente plus et d'ailleurs je crois qu'elle a disparu, les quatre murs vont d'un seul tenant du plancher au plafond. C'est en moi que se trouvent les abîmes et je ne puis les éviter qu'en cessant de penser, mais c'est cesser d'écrire et l'exclusion. Je ne puis plus éviter de rencontrer des souvenirs et chacun est une lucarne. La voix de ma mère a ouvert un précipice en moi, je risque de m'y engloutir, il faut que je revienne aux pensées d'avant, qui est mon lecteur ?

Mais je n'ai plus de lecteur et je vais tout le temps à la ligne, je connais mon métier et la voix de ma mère.

La pile de droite a diminué. Elle était immuable. À gauche, les feuilles s'entassent. Maintenant, quand j'écarte une feuille, je la pose sur une pile, ces mots sont effroyables. La pile de droite diminue exactement comme monte celle de gauche. Mais alors, elle s'épuisera ? Je serai sans papier ? Ah ! je prendrai les pages de gauche, je les retournerai et je continuerai d'écrire. Mais quand je les aurai toutes remplies des deux côtés ? Comment écrire sans support ? Comment me réchauffer sans couvertures ? Et quand ma plume sera vidée ? Je vais écrire encore plus serré, rapprocher les lignes, cela allongera le temps qui me reste, mais je ne peux pas ignorer la vérité : ce temps est limité. Quelle que soit la hauteur de la pile, elle est désormais définie. Si j'ai encore mille pages, je n'ai plus que mille pages, tout est compté, j'ai perdu l'éternité. En les retournant, cela ferait deux mille, et puis c'est la dernière. C'est sans espoir. Je perdrai la retraite. Mon infini dévouement à l'écriture, mon renoncement, mon austérité pendant toutes ces années n'auront servi qu'à me faire peu à peu découvrir que mon temps est mesuré. De qui ai-je été la dupe, qui m'a fait croire que cela durerait toujours ? La pile ne diminuait pas : c'était une odieuse tromperie. Un jour, pris par quelque caprice, mon lecteur s'est détourné de moi : alors j'ai commencé à me souvenir. Je connais mon métier, j'ai retrouvé la voix de ma mère, et mon identité perdue cherche à m'assaillir.

Mais il se passe quelque chose.

Les murs deviennent transparents, je vois des étagères chargées de livres, j'écris sur une petite table de bois clair, il n'y a pas de pile à droite car j'utilise un bloc, je soulève et retourne la feuille au bas de chaque page. Au secours ! Je sais tout ! Mon prénom est Jacqueline, mon nom est Harpman, je suis une femme et chaque seconde qui passe me rapproche de ma mort.

1965. Photo de classe à Casablanca.
Mademoiselle Barthe entourée de ses élèves.

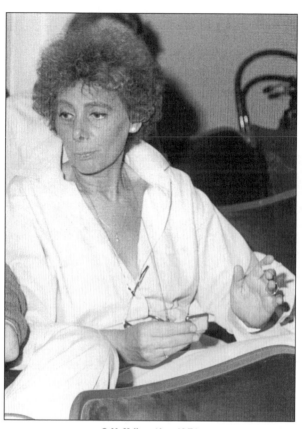

© N. Hellyn (doc. AML)

© N. Hellyn (doc. AML)

Extrait du manuscrit de la nouvelle Marie.

au Nord Israël, capitale Samarie
au Sud Juda capitale Jérusalem : David

Les Assyriens assiègent Samarie et détruisent
Israël, Juda ne leur vient pas en aide

Juda: Achaz
Ezéchias
Manassé + et son fils aîné : dr Maison David
Josias, réformateur, mort ...

1ère destruction de Jérusalem, 586 ATC
... captifs à Babylone
chute des Assyriens, Cyrus (Perse) ...
libère les Juifs qui retournent en Judée

1er royaume juif en terre d'Israël: 1030 ATC
David élit Jérusalem pour capitale ...
800 ans 470 ATC

Notes de travail prises en vue de la rédaction
de la nouvelle *Marie*.

© N. Hellyn (doc. AML)

2000. Séance de signatures avec Jacqueline Harpman
et Laurent de Graeve à la librairie Chapitre XII (Bruxelles).

© S. Lambert

Ils viendraient

Briser menu
sacre
les os d'oiseaux
de la mémoire

Les mots
les mots

Et le désir
sans savoir

jamais
de quoi

Jacqueline Harpman mise en lumière par la poésie
de Werner Lambersy.

© Photographie J.-P. Stercq

LECTURE

Elisheva Rosen
Docteur ès lettres
et Noemi Rubin
(Licenciée en philologie romane)

L'attrait des contes

À quoi tient le succès d'une œuvre ? C'est le type de
questions toutes simples sur lesquelles il est difficile,
voire imprudent, de se prononcer. Dans le cas de Jacqueline Harpman, on ne peut toutefois s'empêcher de
faire la part des talents de conteur dont ses textes, récits,
romans ou nouvelles, portent également l'empreinte, et
qui ont le don d'envoûter ses lecteurs. On entre aisément dans ces textes, on s'y laisse prendre et surprendre.
On ne les quitte pas avant de connaître le fin mot de
l'histoire, même s'il ne s'agit jamais que de découvrir
qu'il se dérobe. Si Jacqueline Harpman s'adresse à des
adultes, c'est aussi en leur restituant le goût inoubliable
de leurs lectures d'enfants et d'adolescent(e)s. On ne
s'étonnera pas qu'elle ait été tentée, au mitan de sa carrière, par la nouvelle. D'autant moins que c'est un genre
qui constitue en quelque sorte le foyer irradiant de son
œuvre. *La lucarne*, recueil de dix nouvelles, publié en
1992, offre à cet égard une excellente introduction à

l'univers littéraire d'un auteur fécond, qui partage sa vie entre écriture et psychanalyse, et auquel on doit d'ores et déjà une quinzaine d'ouvrages dont certains couronnés par de prestigieux prix littéraires. Ainsi du prix Rossel obtenu en 1959, et du prix Médicis en 1996.

Jouant de la fantaisie et de l'insolite, du merveilleux comme du macabre, Jacqueline Harpman nous incite à explorer, au gré de ces nouvelles, les énigmes de la condition humaine (la relation entre les sexes et les générations, la construction de l'identité, le rapport au temps et à la mort) en mettant l'accent sur ce qu'il en advient lorsqu'elles se déclinent au féminin. Ce qui engage notamment à des réécritures étonnantes aussi bien qu'à une réflexion sur l'inquiétante étrangeté de l'écriture. Dé-réaliser pour mieux prendre la mesure, sinon du réel, du moins du possible et de ses contraintes, tel semble bien l'enjeu de Jacqueline Harpman dans ce recueil-clé, qui offre un aperçu du chantier de son œuvre.

Un art du détournement

L'imagination débridée qui semble présider à la rédaction de ces nouvelles faites pour suprendre relève certes du trompe-l'œil, ce qui n'ôte rien à son efficacité, bien au contraire. En un sens, c'est même ce qui la conditionne. Nous avons tous été abreuvés de contes et légendes depuis notre plus jeune âge, et notre soif de récits ne s'est pas éteinte pour autant. Jacqueline Harpman le sait bien, comme elle sait également que ce n'est pas nécessairement la nouveauté qui nous attire. Les scénarios éculés, au même titre que les « bonnes vieilles recettes », celle d'un bon « bouillon de légumes », par exemple où « on (…) voit des carottes, des céleris, des poireaux et des pommes de terre coupées en dés bien égaux et qui ont longuement mijoté ensemble » et auquel on ajoute « un morceau de beurre frais pour donner du velouté », et où, suprême plaisir, on se permet de « tremper une tartine » les soirs où l'on se retrouve « en famille » (p. 207) ont des vertus qui ne se perdent pas à l'usage. Alors pourquoi ne pas jouer de la connivence entre mémoire et appétence ? Il ne s'agit jamais que de le faire en connaissance de cause. Les « petits plats » de Jacqueline Harpman, à l'instar de ce « bouillon de légumes », simulacre parodique d'une célèbre « tasse de thé », sont bien évidemment piégés. Ce sont de petites machines infernales habilement agencées pour nous faire prendre des vessies pour des lanternes. Ces récits procèdent d'un art du détournement dont les principes sont simples en apparence, et bien connus des amateurs de « la littérature au second degré », littérature dite aussi « palimpsestueuse », à partir d'un jeu de mots sur le titre de l'étude désormais classique de Gérard Genette sur le sujet, *Palimpsestes*[1]. L'adjectif au demeurant semble parfaitement approprié pour qualifier un recueil de nouvelles, dont la première « Comment est-on le père des enfants de sa mère ? », reprend, par la voix d'Antigone, l'une des plus célèbres histoires d'inceste de notre culture, celle d'Œdipe, tant de fois contée et glosée, tant de fois déjà détournée (entre autres de la littérature à la psychanalyse). Sur le modèle du « Il était une fois » des contes de fées, les récits de Jacqueline Harpman procèdent volontiers d'un « Il était une nou-

---

1. Gérard Genette, *Palimpsestes. La littérature au second degré,* Paris, Seuil, 1982.

velle fois ». Il en va ainsi très visiblement, outre pour le récit d'Antigone, pour l'histoire de Marie (« En vérité, je vous le dis »), ou pour celle de Jeanne d'Arc (« Au troisième degré »). De manière générale, les jeux de récriture sont partie prenante dans l'ensemble de ces nouvelles, même s'ils ne s'affichent pas toujours de manière aussi voyante. Ainsi dans « le triplement des filles », la narratrice fait allusion à l'ogre du Petit Poucet, juste avant de relater l'assassinat de ses deux sœurs jumelles, la cruauté du conte annonçant le double crime. On remarquera que les six ($2 \times 3...$) filles de l'ogre sont tuées au moyen d'une hache alors qu'elles dorment indistinctement dans le même lit. Le père meurtrier de ses filles dans la version de Perrault devient chez J. Harpman une sœur qui assassine ses doubles. Dans « l'amour filial », la narratrice qui se décrit en « petite fille de conte de fées » (p. 161) entame un processus de momification sur le cadavre de sa propre mère. La nouvelle, non sans malice, porte la mention « morceau pour anthologies ». On imagine volontiers qu'il y va de ces anthologies où figure en bonne place *Bruges la Morte,* l'un des intertextes possibles de cette nouvelle, qui retravaille des thèmes de ce roman célèbre, l'enfermement progressif, la momification, et la chevelure fascinante qui s'avère ici être … une perruque. Mais dans cette nouvelle les films d'horreur sont également convoqués, le *Psycho* de Hitchcock, par exemple. De fait, ce n'est pas nécessairement à un texte particulier que font référence les nouvelles de J. Harpman, mais bien plûtot à des clichés[2] (dans le sens photographique comme

---

2. Voir Ruth Amossy et Elisheva Rosen, *Les Discours du Cliché*, Paris, SEDES, 1982.

dans le sens rhétorique du terme) ou à des lieux communs qui circulent dans notre culture, à tout un arsenal de « belles images » (ou d'« images pieuses ») et de scénarios que véhicule la doxa. Ces clichés retiennent l'écrivain dans la mesure où ils ont modelé bien des destins, féminins en premier lieu sans doute, mais pas uniquement, puisque leur incidence s'étend à une configuration d'ensemble des rapports entre les sexes ou entre les générations. Jacqueline Harpman construit ainsi ses récits en se jouant de certaines « valeurs sûres » de notre culture qu'elle s'entend à exploiter à ses propres fins, celles d'un travail de sape éminemment roboratif.

Brouiller les cartes

Si Jacqueline Harpman a conçu ses nouvelles comme autant de « contes pour adultes », elle n'ignore pas que l'expression a des connotations licencieuses, et qu'une longue tradition de détournement des contes existe, qui les infléchit volontiers dans ce sens. Cette tradition participe de notre culture au même titre que les modèles dont elle s'inspire très librement, très lestement. Subversive en apparence, elle s'entend surtout à des transpositions aptes à produire une autre forme de connivence avec le lecteur. Jean de Palacio a étudié, sous le beau titre de *Les Perversions du Merveilleux*[3], tout un pan « fin de siècle » de cette ample production littéraire. Les transpositions parodiques ne remettent pas nécessairement en cause les « belles images ». En les

---

3. Jean de Palacio, *Les Perversions du Merveilleux*, Paris, Séguier, 1993.

transformant, il arrive bien souvent qu'elles en produisent d'autres, moins «pieuses» certes, mais néanmoins conformistes à leur manière. Le non-conformisme, on le sait bien, n'est jamais qu'un conformisme à rebours. C'est l'une des raisons (et non certes, par une quelconque pudibonderie) pour lesquelles Jacqueline Harpman se démarque ostensiblement de cette (contre-) tradition, à laquelle ses récits ne s'apparentent pas moins, à leur manière. Ses nouvelles procèdent en fait d'une double distanciation, aussi bien par rapport à la tradition, que par rapport aux formes attendues de son renversement. C'est bien d'ailleurs ce qui les rend déconcertantes.

L'exploitation des images du corps dans les nouvelles de ce recueil en offre un bel exemple. Les références au bas matériel et corporel participent pleinement de l'écriture parodique et des diverses formes de carnavalisation de la littérature, longuement étudiées dans les travaux de Bakhtine[4]. Elles sont l'une des ressources majeures de la désacralisation et du rabaissement comique, une ressource que Jacqueline Harpman ne se prive pas d'exploiter. Marie nous racontera ses déboires avec Joseph, Antigone nous déballera ses petits «secrets de famille», Jeanne nous fera part du dégoût que lui inspirent des paysans malodorants. Les créatures de légende se débattent ici avec des problèmes peu conformes avec leur image conventionnelle et hiératique, comme le veut la loi du genre. Mais si le texte semble ainsi se plier à une attente, ce n'est que pour mieux y contrevenir. C'est que l'outrance est au rendez-

---

4. Mikhaïl Bakhtine, *L'Œuvre de François Rabelais et la culture populaire au Moyen-Âge et sous la Renaissance*, Paris, Gallimard, 1970.

vous, qui met un frein à la connivence du lecteur. L'humour se fait grinçant, il suscite moins l'adhésion que la réticence, voire la répulsion. Ainsi par exemple, on n'en est plus à une plaisanterie près sur l'immaculée conception. Mais que penser des explications de Marie sur les carences sexuelles de Joseph qui, durant ses fiançailles, « le soir, parmi les ronces [la] culbutait à la hâte » :

> « (…) il était trop nerveux. Il me regardait goulûment, entrait en ébullition et se précipitait caracolant, j'étais la plus soumise des fiancées : à peine l'extrémité de son enthousiasme effleurait-elle mon innocence que l'excès d'émotion le liquéfiait. Techniquement, je restai donc vierge et, quand mes règles ne vinrent pas, l'idée d'être enceinte ne me traversa pas l'esprit » ? (p. 47)

En lieu et place des appâts du corps, ce sont ses faiblesses et ses ratés (si l'on ose dire) qui se trouvent mis ici en relief, ses servitudes comme ses contraintes. On aura droit ainsi à des considérations sur l'appréhension d'un accouchement difficile (« Comment fait-on pour accoucher quand la voie n'est pas ouverte ? » p. 48) et à l'évocation d'une vie sexuelle pour le moins frustrante, car les choses ne s'arrangent guère après le mariage :

> « Chaque soir, Joseph me sautait dessus et ratait l'atterrissage, après quoi il me priait interminablement de l'excuser, ce qui devenait de plus en plus difficile car une humeur acariâtre remplaçait peu à peu mon goût naturel pour les choses de l'amour. » (p. 49)

Le goût quelque peu douteux de ces plaisanteries est trop manifeste pour ne pas susciter le malaise. La prétendue familiarité de ces « révélations », tout à la fois humoristiques et scabreuses, inquiète bien plus qu'elle n'apaise. Dans le récit d'Antigone, cette forme d'outrance est encore plus évidente. Ainsi dans cette évocation d'Œdipe qui cumule viols et incestes, suscitant l'effroi d'Antigone :

> « Debout, raide, emballée dans des tissus épais qui cachaient bien les formes, je me sentais nue, étalée, les cuisses ouvertes. Mes frères n'étaient pas à l'abri, même s'il était plus audacieux avec eux qu'avec moi : c'est aussi que Jocaste craignait moins l'inceste avec les fils, il ne produit pas d'enfants. Ismène, qui est très bête, mit beaucoup de temps à comprendre ce qui la menaçait (…) jusqu'au jour où on la trouva hurlante, la robe arrachée, sous Œdipe tressautant qui dans sa hâte souillait le sol de la colle immonde qui avait fécondé Jocaste et engendré la fille qu'il voulait violer. » (p. 9)

Un Œdipe plutôt minable en fait, « qui ne fut jamais l'amant que de Jocaste », et qui « voulait qu'on le trouvât infâme » (p. 11). Le viol d'Ismène n'était qu'un simulacre conçu précisément à cette fin. Le rabaissement est bien perçu comme tel, mais il n'est pas à proprement parler comique, il tend plutôt à verser dans l'abject. Et le moins qu'on puisse dire, c'est que ces évocations sont dérangeantes. D'une nouvelle à l'autre, on en retrouve des équivalents, et elles sont souvent relayées par la violence ou le macabre. Le recours récurrent à ce type de représentations, très efficace dans ses effets, en dépit d'une stylisation qui incite à ne pas les prendre trop au sérieux, est suffisamment systématique pour interpeller le lecteur (ou la lectrice).

Pourquoi en référer au corps sur ce mode particulier qui associe le ludique et l'inquiétante étrangeté ? Le choix de ce registre permet, on l'a vu, de se démarquer aussi bien d'une tradition que d'une contre-tradition.

Les icônes, c'est bien connu, n'ont pas à proprement parler de corps, c'est dans les récits parodiques qu'elles s'en voient attribuer un. Il n'en demeure pas moins que ce corps est bien souvent lui-même icônique (corps désirable, svelte, plantureux ou fécond, c'est selon), et que l'on ne s'affranchit pas nécessairement, pour évoquer le corps, de cette logique des « belles images », à laquelle s'en prennent les récits de Jacqueline Harpman. Le jeu avec l'inquiétante étrangeté se veut provocateur, non point tant parce qu'il enfreint des tabous (même s'il le fait aussi), mais bien parce qu'il brouille les cartes, et qu'il les redistribue tout autrement que ne le laisseraient escompter les renversements auxquels nous sommes accoutumés.

Le trafic des voix

Ce qui contribue plus particulièrement à brouiller les cartes, c'est bien évidemment aussi le choix de voix féminines pour conter ces histoires. Ces nouvelles nous présentent autant de récits à la première personne, récits de femmes qui sont supposées raconter leur « propre » histoire, autant dire se la réapproprier, d'accéder en quelque sorte au rang de sujet de cette histoire, ou du moins de tenter de le faire. Car elles ont été, à un titre ou à un autre, victimes d'un « sortilège ». On a usurpé leur voix. On les en a dépossédées, comme on les a dépossédées de leur identité. Pour mieux prendre possession d'elles, pour en disposer… à jamais. C'est notamment ce qu'Œdipe explique à Antigone (via les bons soins de Jacqueline Harpman) :

« – Tu seras l'exemple de la fille admirable, disait-il en ricanant, tu auras donné ta vie à mon expiation. Tu serviras de modèle aux générations, en ton nom, on prêchera le sacrifice des filles et des femmes aux nobles causes des hommes. Ton nom sera celui de l'honneur des familles. Tu peux me haïr autant qu'il te convient, tu ne t'arracheras jamais à ta légende. » (p. 19)

C'est également, sur un mode sensiblement différent, ce que Marie constate, et qui motive sa prise de parole :

> « Je ne peux plus le supporter. Voilà deux mille ans qu'on accumule les bêtises à mon sujet. Je ne disais jamais rien car je me rendais bien compte que, dans cette histoire, je ne suis qu'un comparse et (…) que si mon fils ne rectifiait jamais, il valait mieux le laisser faire (…) Mais il exagère, et il laisse ses représentants se servir de moi d'une façon qui m'offusque : je suis l'exemple, le parangon et le modèle, on m'a promenée devant le nez de cent générations de femmes pour les tenir coites, en me taisant, je me rends compte que je me fais la complice des maîtres. » (p. 45)

Quant à Jeanne, elle participe, dans ce même ordre d'idées, d'un autre cas de figure, puisqu'elle a été prise à son propre jeu. Un jeu bien fait pour retenir l'attention de Jacqueline Harpman, puisqu'il va de simulation, de « voix », et d'invention de soi :

> « J'ai envie de raconter, d'expliquer, tu te doutes bien que je dois me taire. Vois-tu, j'ai construit une légende, toute ma force est venue de là, et mon pouvoir sur les choses. Je me suis inventée de toutes pièces et si puissamment, si judicieusement que je me demande si je me souviens encore de la vérité. Par moments, quand je parle de mes voix, j'y crois. J'ai vécu tellement longtemps dans l'étroite compagnie de mon mensonge qu'il est devenu une part de moi (…). Il me faut dire la vérité à quelqu'un pour m'en

ressouvenir et préserver ce que je suis contre ce que j'ai prétendu être. (…) Quand j'ai commencé, je ne mesurais pas à quoi je m'attaquais, et que j'allais forger une Jeanne qui n'existait pas et qui ne me quitterait plus. » (p. 82)

On ne s'étonnera pas que Jacqueline Harpman ait choisi d'intituler cette *troisième* nouvelle du recueil, « Au troisième degré ». L'histoire de Jeanne d'Arc s'inscrit bien dans la série inaugurée par celle d'Antigone et de Marie, mais elle fonctionne de surcroît comme une mise en abyme des récits précédents, auxquels elle fait écho. Elle contribue à nous mettre en garde, si besoin était, contre une lecture trop rapide de ces nouvelles. Une lecture qui tendrait à privilégier dans ces textes la subversion de figures modèles. C'est que cette subversion, pourtant bien présente dans l'ensemble de ces récits, n'est pas pour autant une valeur en soi. Elle est certes plaisante, rien n'est plus agréable ni plus facile que d'inventer, (de s'inventer), d'affabuler (que ce soit dans le courant ou à contre-courant), mais c'est une pente glissante, et la récupération, l'histoire de Jeanne est là pour l'attester, guette. C'est bien pourquoi les voix de ces créatures de légendes, qui profèrent dans ces nouvelles des récits bien peu conformes à la tradition, ne sont pas vraiment conçues pour « rétablir » une quelconque vérité face aux « distorsions » qui nous sont familières. Le « en vérité, je vous le dis » de Marie, par exemple, doit s'entendre, non comme une « vérité » à laquelle nous serions conviés à adhérer, mais plutôt comme annonçant une autre forme de « distorsion », plus conforme à notre « on dit » contemporain (ou du moins à certaines de ses manifestations). Il ne s'agit jamais en fait que d'une tranposition sur laquelle, au demeurant, le texte ne manque pas d'attirer notre attention. Ainsi de Marie qui dit :

« Ce siècle-ci est ardent casseur de tabous, il est grand temps que je refasse quelques apparitions et que je rétablisse la vérité. Je compte sur vous pour la transmettre telle que je vous la dis. » (p. 45)

Mais il ne faudrait pas accorder trop de sérieux à l'injonction de cette voix qui incite à troquer une « bonne » parole pour une autre, à imposer un « je dis » en lieu et place d'un « on a dit ». Les récits de Jacqueline Harpman s'entendent en fait à nous mettre en garde contre cette tentation, à nous rendre sensible à l'écueil sur lequel elle achoppe. Ils transposent volontiers, à grand renfort d'anachronismes, des anachronismes assortis de « motivations » voyantes et destinées à « justifier » les écarts entre les versions, mais qui ne visent pas (vraiment) à nous convaincre, et restent ostensiblement ludiques, « fantaisistes ». C'est qu'il y a bien lieu de « décrocher » des antiques versions. En revanche, il ne faudrait pas pour autant tomber de Charybde en Scylla. C'est bien pourquoi les voix que Jacqueline Harpman nous fait entendre sont celles de singulières sirènes, plus inquiétantes au demeurant que rassurantes.

« Je dis »/ « on (a) dit »

Très au fait des préoccupations actuelles auxquelles elles adhèrent, ces voix n'en profèrent pas moins des récits où le « je dis » tend à s'écarter non seulement d'un « on a dit », mais aussi, voire surtout, d'un « on dit » contemporain. Les voix que nous fait entendre Jacqueline Harpman dans ces récits sont ainsi « trafiquées » de toute part. Aussi bien par rapport à une tradition dont elles se démarquent, que par rapport à une « actualité » dans laquelle elles ne s'inscrivent que de manière

ostensiblement déconcertante. Ces voix, figures de prédilection du dipositif narratif de ces nouvelles, sont bien
évidemment conçues pour nous interpeller à distance.
Même, et surtout, lorsqu'elles semblent s'adresser
« directement » à nous, comme dans le cas de Marie.
On appréciera à cet égard l'humour qui caractérise la
situation de communication mise en scène dans « Au
troisième degré ». Jeanne s'adresse à un interlocuteur
qu'elle commence par mettre à l'écart :

> « Reste là-bas, petit, ne t'approche pas de moi ! Je déteste
> que les hommes me touchent. Cela intriguait toujours la Tou-
> roulde qui voulait bien croire que les voix me commandaient
> de rester vierge, mais qui ne comprenait pas que je n'en
> fusse pas désolée. Il paraît que tu n'entends pas le français :
> tant mieux, je peux donc te parler librement. » (p. 81)

Plus loin, elle explique à ce « petit » comment elle en
est venue à persuader autrui de l'existence des voix, en
s'exerçant d'abord sur son frère. Elle relate la scène où
elle a incité son petit frère à l'interroger :

> « – Dis-moi, dis-moi ce qui te fait souci.
> – C'est que tu ne me croiras pas.
> Il faut toujours commencer par dire cela, j'avais beau-
> coup réfléchi, petit, on n'éveille la crédulité des gens qu'en
> la mettant au défi. Si tu entendais le français, avant de
> te parler, je te donnerais mille raisons de ne pas me croire
> qui te persuaderaient de ma véracité et après je te ferais
> avaler n'importe quoi. Il goba tout. » (p. 83)

Autant dire que rien n'est à prendre à la lettre dans
ces contes. Ils sont faits pour être « gobés » notamment
par les enfants (voir le petit frère, qui n'est pas seul en
cause), pour déconcerter les auditrices crédules (voir la

Touroulde), pour n'être «entendus» que par un auditeur que l'on tient à l'écart et auquel on est d'autant plus à même de parler librement … qu'il n'entend pas le français. Belle façon de nous laisser entendre qu'il ne faut pas (trop) se laisser prendre à ce que nous racontent ces voix. De nous rappeler qu'elles ne s'entendent qu'à (bonne) distance, et qu'il convient de les considérer, par-delà leur apparente familiarité (de ton, de lexique, de préoccupations), comme s'exprimant dans une langue étrangère, ce qui est somme toute le fait de toute littérature digne de ce nom. Le «trafic des voix» n'est pas l'apanage des premières nouvelles du recueil. Si ces trois récits donnent le ton, c'est aussi pour nous inciter à en découvrir bien d'autres cas de figure dans les textes subséquents et à y reconnaître l'une des pièces majeures du jeu littéraire de Jacqueline Harpman. On doit à Renée Linkhorn[5] d'avoir relevé l'importance de cet aspect de l'œuvre, dans sa belle étude «Je(u) romanesque et niveaux narratifs chez Jacqueline Harpman», qui porte sur deux romans de l'auteur, *La Mémoire trouble,* et *Le Bonheur dans le crime.* Aussi différentes soient-elles, les diverses voix qui s'expriment dans *La Lucarne* semblent conçues pour s'éclairer mutuellement, comme par des effets de réfraction d'un texte à l'autre. Ainsi, par exemple, de «La Parleuse» qui nous renvoie avec humour à ce que ces «je» ont de troublant :

«Je ne sais pas ce que je dis. J'entends le bruit de ma voix, je sens vibrer mon larynx et ma langue se mouvoir,

---

5. Renée Linkhorn, «Je(u) romanesque et niveaux narratifs chez Jacqueline Harpman» in *La Belgique telle qu'elle s'écrit. Perspectives sur les lettres belges de langue française*, études rassemblées par Renée Linkhorn, New York, Peter Lang Publishing Inc., 1995, pp. 51-72.

mais je ne connais pas les mots que je prononce. (...) Certes, ma parole doit faire un bien extrême à ceux qui la reçoivent et j'en tirerais le plus grand profit, mais je ne connais pas le langage dont je me sers et nul ne se soucie de me l'enseigner. Est-ce qu'un traducteur obligeant ne pourrait pas se poster à mes côtés et chuchoter à mes oreilles pour que je participe à la bénédiction que je dispense ? » (pp. 119-120)

Ou encore de nouvelles comme « Le triplement des filles » ou « l'Amour filial », voire « Ô lac, l'année à peine a fini sa carrière... » qui dans un autre registre, celui de l'humour noir et du macabre, exacerbent à dessein, l'énigmatique singularité de ces voix.

Une nouvelle donne

La poétique des récits de Jacqueline Harpman, dont on vient d'offrir un rapide aperçu, tend aussi bien à capter l'attention du lecteur qu'à le désorienter. Il s'agit pour lui de participer au jeu, de s'y laisser prendre, mais aussi de reconnaître qu'il s'est fourvoyé. Pour apprécier pleinement les effets de ces textes, il ne faut pas bouder le plaisir (quelque peu enfantin certes, mais qu'importe) de céder à l'emprise de ces voix, au pouvoir de ces images, d'adhérer un tant soit peu à ces visions de rêve ou de cauchemar, c'est selon. Il sera toujours temps de se défaire de cette fascination initiale, d'y revenir, d'entamer la réflexion qui s'impose au terme de cette expérience aussi plaisante que déroutante. L'oralité a aussi dans ces nouvelles cette vocation, de nous tenir sous son emprise, de nous soumettre à son charme, avec toutes les connotations magiques du terme. En un sens, c'est bien parce que ce charme est très manifestement opérant que l'on apprécie d'autant le leurre concerté, et que l'on prend plaisir à découvrir comment on a été joué, que l'on prend plaisir également à explorer le second (et le « troisième ») degré, à mesurer l'impact critique de ces fables qui ne nous rapprochent de nous-mêmes et de nos précoccupations que dans l'exacte mesure où elles nous en éloignent. *Mutadis mutandis*, c'est bien ainsi que fonctionnent les trompe-l'œil. On ne les tiendrait pas pour tels, s'ils n'avaient aussi le pouvoir de nous abuser. Les textes ingénieusement piégés de Jacqueline Harpman s'entendent à nous inciter à un réaménagement de notre espace mental et affectif, à le reconfigurer. Cette reconfiguration concerne, avec les transpositions qui parfois s'imposent, tout un chacun. Certes, les préoccupations dont font état les nouvelles de ce recueil semblent concerner plus manifestement les lectrices que les lecteurs. Les protagonistes de ces récits sont autant de figures féminines confrontées à des problèmes qui sont plus familiers à leurs consœurs qu'à une audience masculine. Et au demeurant elles ne sont pas particulièrement tendres envers les hommes. Ainsi, par exemple de ces vieillards, dans « Ô lac, l'année à peine a fini sa carrière… », dont la narratrice ne sait que faire. Ses anciens amants sont devenus grincheux et encombrants. Ils accaparent son attention :

> « Moi, je remplis des bouillotes pour la nuit. Ils sont exigeants, tâtillons, l'eau doit n'être ni trop froide, ni trop chaude et ils n'admettent pas les raisonnements les plus simples. Quand je leur dis que moins la bouillote est chaude plus vite elle refroidira, ils grognent que je lésine sur le temps que je leur consacre et que je ratiocine pour masquer mon impatience. Bientôt ils auront raison. Il faudrait en mettre certains à l'hospice. Ils ne veulent plus manger tout seuls, ils pissent au lit même ! L'un d'eux ne me reconnaît

pas quand je le rejoins le soir pour dormir et m'appelle maman. » (pp. 145-146)

Mais tendres, ces textes ne le sont pas nécessairement plus pour les protagonistes féminines. Il n'est que de lire la suite des griefs de cette même narratrice :

« Jadis ils me parlaient de moi. Je me voyais dans leurs paroles, où j'étais belle, ils sont devenus de très mauvais miroirs. (…) Il faut qu'on jette tous ces vieux hommes usés dont on ne peut plus rien faire et qui me donnent l'impression de vieillir. C'est qu'au train où ils vont, je courrais à la mort ! » (p. 146)

Le jeu des renversements ici est des plus limpides. La narratrice profère un discours « féministe » qui prend le contre-pied de versions masculines bien connues. Elles souhaite de jeunes amants, sur le modèle du mythe du séducteur aux tempes grises qui se refait une jeunesse en s'amourachant de jouvencelles, un mythe que son propos met singulièrement à mal. Mais, plus son discours se dévide et plus se fait jour l'inanité de cette revendication. La transposition au féminin d'un « privilège » réputé masculin ne vient pas répondre à un vœu d'égalité dans le droit à la satisfaction des désirs, elle tend tout au contraire à remettre en cause un fantasme qui, qu'il se décline au masculin ou au féminin, participe pleinement de l'angoisse du veillissement et de la mort. La narratrice finit par faire figure d'ogresse. Elle veut faire place nette dans sa maison pour y accueillir un nouvel amant et demande qu'on lui apprête à cet effet un robuste repas, mais elle ne laisse pas de mettre en garde sa servante contre un visiteur inopportun qui pourrait fort bien se substituer à l'hôte attendu :

« Et si c'est une femme enveloppée de voiles noirs, avec la main noueuse et une faux sur l'épaule, ne la laissez pas entrer, dites-lui que personne n'habite plus ici, que tous les amants sont morts et que la maison n'est plus qu'une coquille vide. » (pp. 147-148)

Ce texte sans prétentions expose très clairement la position de Jacqueline Harpman. Ce ne sont pas les jeux d'oppositions en miroir (en « mauvais » miroir, comme le révèle la nouvelle) qui doivent retenir notre attention, mais bien la nouvelle donne des problèmes de *genres* qui concernent tout un chacun. Incidemment, on notera que c'est à la faveur de ce « mauvais » miroir que ce glissement se fait jour dans la nouvelle. Comme quoi il n'est nullement exclu que le « mauvais » miroir s'avère, au second degré s'entend, être le bon. En ce sens, on conçoit que les lecteurs ne soient pas moins concernés que les lectrices par ces textes, et que cette répartition est elle-même sujette à caution. Ce qu'il y a de véritablement troublant dans l'ensemble de ces récits relève de préoccupations humaines, d'une humanité qui a encore bien des comptes à régler avec les récits dont elle s'est depuis si longtemps abreuvée. On conçoit mieux dans cet esprit que l'écriture au second degré puisse s'imposer comme un terrain de prédilection pour répondre aux enjeux de cette nouvelle donne qui est la nôtre pour l'heure. C'est au demeurant ce que Jeannine Paque[6] suggérait dans son étude « Des femmes écrivent » (1997) où elle offrait un vaste panorama, qui garde toute sa pertinence, des voies empruntées par les femmes écrivains. Cette nouvelle donne incite également

---

6. Jeannine Paque, « Des femmes écrivent », in *Textyles,* 14/1997, pp. 77-94.

à reconsidérer l'activité de l'écrivain. C'est ce à quoi nous convie Jacqueline Harpman dans la dernière nouvelle de son recueil, qui nous confronte elle aussi aux ressources de la réécriture.

La scène de l'écriture

Dans le répertoire des images susceptibles de définir l'œuvre d'un écrivain, « la fenêtre ouverte sur le réel » chère à Zola occupe une place de choix. Cette fenêtre se fait ici *Lucarne*[7], une lucarne placée au ras du sol, quand on l'envisage côté rue, et en hauteur, près du plafond, lorsqu'on l'appréhende de l'intérieur de ce qui apparaît du même coup comme un soupirail. La nuance est (si l'on ose dire) de taille puisque cette lucarne non seulement interdit tout regard en surplomb, mais n'autorise même pas la réciprocité des regards. Le plain-pied avec l'univers extérieur se pose d'emblée comme improbable. Exit donc, pour le sujet écrivant, la position de savoir. Exit également, la possibilité d'un dialogue, fondé sur une interaction face à face. Une glace pourrait sans doute pallier les défauts de cette lucarne, mais on ne s'étonnera pas de son absence dans la pièce. Il ne s'agit pas de renoncer à la « fenêtre » naturaliste pour en revenir au « miroir » symboliste. Exit aussi la tentation (et les pièges) du narcissisme. Reste donc cette lucarne qui dérive d'images familières, mais qui s'entend surtout à les entraîner à la dérive.

---

7. Pour une autre intèrprétation de cette nouvelle, voir Pierre Piret, « Le Dieu caché de l'écriture. Une lecture de *La Lucarne* », in *Textyles*, 9/1993, pp. 305-11.

L'opération de dévoiement à laquelle se livre ici Jacqueline Harpman procède de la concrétisation de métaphores. Un peu à l'instar des surréalistes, d'un André Breton, par exemple, évoquant une « bouche d'égout qui sourit » et renouvelant par là même une expression figée, c'est à l'échelle du récit que l'on retrouve ici ce type de détournements de sens, fondés sur la réactivation insolite d'un sens « littéral » oublié de longue date. C'est une chose de convenir que l'on ne sait pas très bien comment on en vient à écrire. Cela participe de l'évidence. Mais c'en est une autre (et en un sens, pourtant la même) que de se retrouver dans une chambre qui n'a pas de porte, et dont on ne saura jamais comment, ni quand, on y a un jour accédé. L'évidence ainsi matérialisée acquiert un relief propre à déconcerter. Pour prendre un autre exemple, on sait bien que l'écriture implique un oubli de soi, que le sujet de l'écriture ne se confond pas avec la personne « biographique ». Mais lorsqu'on se trouve confronté à un personnage qui souffre d'une forme étrange d'amnésie et qui semble presque tout ignorer de son identité, qui ne sait ni son nom, ni son âge, ni son sexe, l'« oubli de soi » cesse d'être anodin et nous apparaît sous un jour ahurissant. Les vertus hallucinatoires de ce procédé à proprement parler renversant sont garanties, de même que l'humour grinçant qu'il ne laisse pas de produire. Le lecteur oscille inévitablement entre l'inquiétant et le loufoque. Quant au rassurant, il en restera pour ses frais.

Simple dans son principe, le jeu auquel se livre Jacqueline Harpman dans cette nouvelle s'avère particulièrement efficace. Il s'agit essentiellement d'investir des idées reçues, de les « trafiquer », et chemin faisant, de les affranchir des rêts de l'automatisme dans lequel des formules d'usage courant les enferment. Or « désautomatiser », c'est précisément la vocation de l'art, telle que la concevait Chklovski dans un article qui a fait date sur « L'art comme procédé »[8]. Pour « trafiquer » quelques idées reçues sur l'activité de l'écrivain, c'est, comme dans l'ensemble des nouvelles de ce recueil, à une voix que s'en remet Jacqueline Harpman. Cette voix, émanant du « sujet de l'écriture » auquel elle a pour charge, si l'on peut dire, de donner corps et consistance, constitue l'opérateur majeur des renversements qui forment la trame de cette nouvelle. Par l'entremise de cette voix, l'« ailleurs » de la scène de l'écriture se transforme en un « ici, maintenant » que l'on est convié à explorer, sur le plan de l'espace, du temps, du rapport à soi, et à autrui. Le lecteur se trouve de la sorte convié à (re)découvrir toute une chaîne d'implications liées à cette donne initiale qui inverse les perspectives habituelles. Sans entrer dans le détail d'une interprétation à laquelle chacun se livrera à loisir, on remarquera notamment qu'en vertu de la logique du récit, c'est au sujet de l'écriture qu'il incombe ici de renouer avec le sujet « biographique ». C'est d'ailleurs sur cette rencontre aussi inévitable qu'improbable, puisqu'ils n'occupent pas le même lieu, et n'ont pas le même corps, sur cette rencontre donc qui n'en est pas vraiment une et qui tient plutôt de la métamorphose, que s'achève la nouvelle. « Au secours ! Je sais tout ! Mon prénom est Jacqueline, mon nom est Harpman, je suis une femme et chaque seconde qui passe me rapproche de ma mort. » La clausule du récit nous situe ainsi aux antipodes de situations bien connues, celles de ces interviews, par

---

8. Victor Chklovski, « L'art comme procédé », in *Théorie de la littérature, textes des formalistes russes*, présenté et traduit par Vladimir Todorov, Paris, Seuil, « Tel Quel », 1965, pp. 77-97.

exemple, où l'on ne manque pas d'interroger Jacqueline Harpman sur la part d'autobiographie dans son œuvre, et où l'on constate qu'elle s'en tient invariablement à des réponses aussi courtoises qu'évasives. Au miroir de la nouvelle, la question rituelle de l'interview, si attendue, si « naturelle », apparaît soudain singulière et somme toute, à la lettre, « déplacée ». Davantage, est-il aussi évident qu'on souhaiterait le croire que cette Jacqueline Harpman qui répond au journaliste est bien l'écrivain dont la signature paraphe l'œuvre ? Dans *La Lucarne,* au demeurant, on aura remarqué que « la signature » de l'écrivain apparaît (aussi) à l'intérieur de la fiction. Mais le personnage qui écrit et en vient subitement à « savoir » qu'il s'appelle Jacqueline Harpman, ne découvre pas vraiment un nom d'auteur qui pourrait être tenu, comme le veut un mythe tenace dans notre culture, pour un éventuel passeport pour l'éternité. La révélation ultime de l'identité coïncide, dans la nouvelle, avec le moment où la scène de l'écriture s'estompe. « Je » ne quitte la chambre close (« lucarne » excepté) des interrogations et de la quête, qu'en se retrouvant ailleurs, dans un univers où avec la transparence redécouverte s'impose aussi le sens de la finitude. On ne saurait mieux dire que questions et réponses ne participent pas du même univers, et partant ne se « répondent » pas, ou du moins, pas vraiment.

On comprend que Jacqueline Harpman ait choisi de placer cette nouvelle en fin de volume, dans une position qui la privilégie, et qui se trouve mise en relief par le redoublement des titres, celui de ce dernier récit et celui (inaugural pour le lecteur) du volume. « La Lucarne » participe en effet pleinement de cette série de textes. La nouvelle est bien de la même veine que les autres, le récit y est véhiculé par une voix qui s'énonce

à la première personne, et, ici comme ailleurs, l'insolite est voué à l'*estrangement* de données familières, à
la remise en cause de lieux communs de notre culture.
Mais en mettant l'accent sur la scène de l'écriture, en
cherchant à nous introduire, de manière tout à la fois
simple et sophistiquée, dans l'inaccessible « atelier » de
l'écrivain, « La Lucarne », s'impose également comme
une fable herméneutique. Elle éclaire la série des textes
de ce recueil, et nous incite à en reconnaître les enjeux,
à découvrir qu'ils procèdent aussi d'une étrange
manière d'« agacer » le lecteur, autant dire de le provo-
quer. Ils séduisent le lecteur (c'est la « séduction de
l'étrange »), mais s'entendent aussi à le mettre en fuite.
Il s'agit d'induire deux réactions contradictoires certes,
mais surtout complémentaires, l'une et l'autre appa-
raissant pleinement constitutives du jeu littéraire de Jacqueline Harpman. C'est quand on a cédé à l'une, qu'on
s'est laissé aller à l'autre, que l'aventure de la lecture
peut vraiment commencer. De fait, il n'est pas inutile
d'envisager de lire ces textes, comme nous y invite la
« Lucarne », pour ainsi dire, *à rebours*. Entrer dans ces
textes est une chose, mais comment en sortir ? La
réponse, bien évidemment, n'est pas *dans* le texte, mais
bien plutôt dans le réseau de relations qu'il entretient
avec le lecteur, et avec la culture dont nous participons.
Un réseau qu'il nous incombe de reconstituer. La littérature commence, pour ainsi dire, au-delà de l'alternative de la séduction et du désenchantement, même si
elle s'appréhende d'abord dans l'expérience de cette
alternative.

TABLE DES MATIÈRES

DANS LA MÊME COLLECTION

La photocomposition de ce volume
a été réalisée par TOURNAI GRAPHIC.

Achevé d'imprimer en mai 2003
sur les presses de l'imprimerie Campin 2000
à Tournai (Belgique)
pour le compte des Éditions Labor.